Le bibliobus

Historique

CM
Cycle 3

Le Moyen Âge

Récit
Philippe Auguste

Légende
La quête du Graal

Aventure
Robin des Bois

Roman policier
Paris au Moyen Âge

Notes de **Pascal Dupont**
Formateur
IUFM Midi-Pyrénées

Alain Dag'Naud

D1630459

HACHETTE
Éducation

À Margot, pour lui faire aimer l'Histoire

Édition : Thierry Amouzou • **Fabrication** : Jeanne Arbousset •
Illustrations : Alain Boyer, Nathalie Desverchère, Antoine
Ronzon, Annie-Claude Martin, Pascale Boutry, Laurent Rullier
• **Documents** : *Monogramme de Philippe Auguste* (page 36) •
Création de la couverture : Laurent Carré, Alain Boyer •
Réalisation de la couverture : Michaël Funck • **Maquette
intérieure** : Laurent Carré, Michaël Funck • **Réalisation** :
Michaël Funck • **Relecture** : Chantal Maury • **Photogravure** :
Nord Compo

ISBN : 2.01.11.7326.4

© Hachette Livre 2006
43 quai de Grenelle 75905 Paris cedex 15
www.hachette-education.com

Tous droits de traduction, de reproduction et d'adaptation réservés pour tous pays.

AVANT-PROPOS

De l'histoire en littérature, pour quoi faire ?

Les apprentissages fondamentaux : parler, lire, écrire ne sauraient se résumer à des savoir-faire décontextualisés et vides de sens. Ouvrir aux enfants la porte de l'histoire à travers la littérature, c'est les introduire dans des époques différentes afin de mieux connaître les grandes périodes historiques, les formes de pouvoirs qui s'y sont développées, les relations entre les divers groupes sociaux, les productions culturelles, artistiques et scientifiques. À travers ces lectures, les élèves se constitueront une première culture historique donnant accès à d'autres dimensions que les seuls événements politiques.

Quelles œuvres choisir ?

Le bibliobus Hachette **historique** propose aux jeunes lecteurs des œuvres de fictions fondées sur de réels éléments historiques qui complètent la lecture des documents de l'époque. Elles visent à nourrir la réflexion collective des élèves, à faire naître des interrogations, à susciter des débats.
Une attention particulière est portée dans les textes au vocabulaire historique spécifique pour pouvoir le comprendre et le réutiliser de manière appropriée.

Devenir lecteur

On le sait depuis longtemps : il ne suffit pas d'avoir appris à lire pour devenir lecteur. Le goût et le plaisir de lire ne peuvent se développer qu'à partir de rencontres fréquentes avec les textes. Il convient donc avant tout de lire beaucoup.

Les adultes accompagneront les enfants sur le chemin de la lecture en lisant eux-mêmes des textes à haute voix qui permettent de « raconter » l'histoire. Ils donneront ainsi aux enfants l'occasion de partager des émotions, de développer une première forme d'esprit critique tout en les guidant dans leur compréhension. Pour éviter la mise en mémoire d'informations fragmentées, ils les aideront peu à peu à tisser des réseaux de significations entre différentes œuvres et différentes époques.

La littérature et l'histoire à l'école

L'école s'est fixée pour objectif de donner à chaque enfant les références culturelles nécessaires pour que le monde des hommes commence à prendre sens pour lui.

Dans le domaine de l'**histoire** : « Le maître aide l'élève à construire une intelligence du temps historique fait de simultanéité et de continuité, d'irréversibilité et de rupture, de courte et de longue durée. Le respect du déroulement chronologique, jalonné par des dates significatives, y est donc essentiel et constitue l'une des bases de l'approche historique. » (1)

Dans le domaine de la **littérature** : « Il faut que les enfants lisent et lisent encore de manière à s'imprégner de la riche culture qui s'est constituée et continue de se développer dans la littérature de jeunesse, qu'il s'agisse de ses « classiques » sans cesse réédités ou de la production vivante de notre temps. » (2)

Il appartient aux éducateurs : enseignants, parents, médiateurs du livre, de relayer cette ambition.

Pascal Dupont

(1) et (2) *Qu'apprend-on à l'école élémentaire ?*, « Les nouveaux programmes », CNDP / XO éditions, 2002.

Alain Dag'Naud

Philippe Auguste

Illustré par Nathalie Desverchère

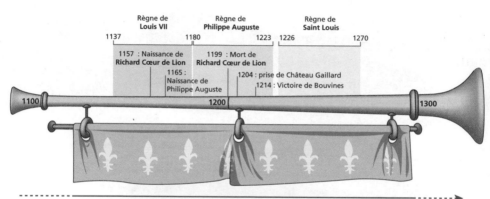

Règne de **Louis VII**

Règne de **Philippe Auguste**

Règne de **Saint Louis**

1137   1180   1223   1226   1270

1157 : Naissance de **Richard Cœur de Lion**

1165 : Naissance de Philippe Auguste

1199 : Mort de **Richard Cœur de Lion**

1204 : prise de Château Gaillard

1214 : Victoire de Bouvines

1100   1200   1300

**MOYEN ÂGE
(476 - 1492)**

Le mal peigné

Nous sommes au printemps 1179. Il a beaucoup plu depuis quelques semaines sur Paris ; les eaux de la Seine ont manqué submerger les rives et emporter les ponts de bois. Mais le soleil est de retour et l'on entend comme un renouveau le chant amplifié des oiseaux. Philippe a quatorze ans et demi. Il n'est pas très grand mais beau, fier et nerveux. Il est sûr de lui lorsqu'il chevauche au grand galop, la lance au côté, dans les exercices de chevalerie. Ses amis le surnomment « le mal peigné » car il porte toujours les cheveux en bataille.

submerger : recouvrir complètement

Le roi Louis VII son père vient de rassembler dans le nouveau palais de l'évêque de Paris, juste à côté de la cathédrale Notre-Dame, plusieurs grands seigneurs et prélats du royaume. Les uns et les autres sont encore

les prélats : les évêques et les cardinaux

7

debout lorsque d'une voix grave, un peu traînante, Louis prend la parole :

« J'ai cinquante-neuf ans, je ne suis plus tout jeune et, par moments, de petites paralysies m'ankylosent les jambes et les bras. Or donc, je vous propose de désigner mon jeune fils Philippe roi de France. Je continuerai à régner, mais s'il m'arrive quelque chose, il sera là pour prendre ma suite. Nul parmi vous, mes seigneurs, ne pourra ni ne devra contester son pouvoir. » Après un temps de silence, tous les participants en chœur s'écrient qu'ils sont d'accord.

Dans les jours qui suivent, des coursiers filent au grand galop dans toutes les directions. Ils portent aux évêques et aux abbés, aux ducs, aux comtes et aux barons du royaume les invitations à se rendre aux cérémonies du sacre prévues dans la cathédrale de Reims le 15 août 1179. Le roi lui-même, son jeune fils, des proches, des serviteurs et de nombreux hommes d'armes se mettent en route début août. Il y a là aussi des marchands de gaufres, des blanchisseuses, des comédiens et des bouffons, des vendeurs de boissons et des prostituées.

ankyloser :
engourdir

en chœur :
tous ensemble

le sacre :
la cérémonie de couronnement d'un roi

La grande peur de Philippe

giboyeux :
où vit beaucoup de gibier

Le cortège fait halte à Compiègne, dans le nord de Paris. Tout alentour, la forêt est immense et giboyeuse. La tentation est trop grande. Philippe obtient de son père l'autorisation d'aller y chasser les grands animaux, cerfs ou sangliers. Il s'éloigne en compagnie de quelques amis et des veneurs du roi, maîtres dans l'art de la chasse à courre.

un veneur :
une personne qui dirige la meute de chiens lors d'une chasse

Soudain, un sanglier magnifique surgit. Les veneurs lâchent les chiens et lancent leurs chevaux à la poursuite de la bête. Philippe fonce plus vite que les autres. Il poursuit pendant longtemps le sanglier, par des sentiers écartés, au travers de fourrés de plus en plus denses. Il s'aperçoit bientôt qu'il n'y a plus personne derrière lui. Il est seul dans cette forêt qu'il ne connaît pas, parmi les ombres profondes. Il appelle ses compagnons, mais nul ne l'entend…

errer :
avancer au hasard

Philippe erre quelque temps, au gré de son cheval qui l'emporte çà et là. Il se dresse sur ses étriers, mais rien, pas âme qui vive. La nuit l'environne.

Les bruissements étranges, les cris des rapaces, les hurlements de bêtes inconnues répondent seuls à ses pleurs. Car Philippe a peur. On lui a raconté qu'à la nuit tombée, la forêt est le domaine de géants armés de massues et d'une troupe de morts vivants porteurs de cercueils, la Mesnie Hellequin. Elle vous emporte vers les enfers si vous la croisez. Philippe descend de son cheval et se blottit contre lui. Toute la nuit il reste ainsi, sans fermer l'œil, à épier les mouvements suspects.

au jugé :
en espérant
se diriger dans
la bonne direction

Quand le jour se lève enfin, dissipant les formes de l'inconnu, le jeune prince remonte en selle et pas à pas avance au jugé. Il n'a rien à manger, rien à boire. Il prie Dieu, la Vierge Marie et saint Denis, protecteur des rois et de la France au côté de saint Michel. Alors, quelque part au bout d'une clairière, apparaissent une hutte et un four rond où scintille une flamme. Tout à côté, un homme très grand et très sale et très noir de visage. Serait-ce un géant de la Mesnie ? Philippe s'avance prudemment, salue l'homme armé d'une masse. C'est en fait un forgeron.

« Je suis Philippe, le fils de votre roi. Voulez-vous m'aider à retrouver mon chemin ? » Le forgeron s'incline et reconduit le prince jusqu'aux portes de Compiègne où il reçoit une bourse emplie de pièces d'argent.

Louis VII prend son fils dans ses bras. Mais Philippe est morose, refuse de participer au banquet en son honneur et n'accepte qu'une tranche de pain. Il part se coucher aussitôt. Le lendemain, il reste allongé, les yeux éteints, sans courage ni vigueur. Les médecins appelés à son chevet lui tâtent le pouls, observent ses urines mais ne décèlent rien. Son état pourtant empire. Le royal garçon reste prostré, triste, sans pratiquement rien avaler. On craint pour sa vie. Louis VII fait annuler la cérémonie du couronnement. Puisque les médecins ne peuvent rien, il s'en remet à Dieu. Dès le 19 août, le roi de France part en simple pèlerin.

Il embarque pour l'Angleterre pourtant ennemie : il s'en va prier à Canterbury sur la tombe de saint Thomas Becket qui fut son ami. Car, dit-on, de nombreux miracles s'y déroulent. Fils d'un riche marchand de la Cité de Londres, Thomas Becket était le compagnon favori d'Henri II Plantagenêt, roi d'Angleterre.

déceler : découvrir

empirer : s'aggraver

prostré : abattu, replié sur lui-même

un pèlerin : une personne qui effectue un voyage dans un lieu saint

13

condamné à l'exil :
expulsé de son pays

l'autel :
la table où l'on
célèbre la messe

expier :
réparer un crime
en subissant
un châtiment

recouvrir :
retrouver

Le roi l'avait fait chancelier, puis, honneur suprême, archevêque de Canterbury. Ce jour-là Thomas dit au roi : « Vous me haïrez bientôt autant que vous m'aimez. »

Il avait vécu dans le luxe et la débauche ; il offrit ses biens aux pauvres. Il s'opposa au roi Henri qui voulait contrôler la puissance de l'Église. Condamné à l'exil, il s'était réfugié en France où il devint l'ami de Louis VII. En 1170, il osa revenir à Canterbury. Quatre chevaliers vengeurs l'y attendaient et lui fendirent le crâne à coups d'épée, répandant sa cervelle sur les marches de l'autel de sa cathédrale. Henri dut expier ce crime qu'il n'avait pas voulu. Il se rendit à pied jusqu'au tombeau de Thomas. Il se mit nu et demanda à soixante-dix moines tour à tour de le fouetter. Chose étonnante, dans les mois qui suivirent, les malades qui approchaient du tombeau de Thomas recouvraient la santé. Voilà pourquoi Louis VII fait aussi le voyage en cette fin août 1179. Il a bien raison car, à son retour en France, il apprend que son fils va mieux.

Le couronnement de Philippe

La nouvelle cérémonie est fixée à la Toussaint 1179. Mais la joie a disparu du visage de Philippe. Il est devenu anxieux, secret, replié sur lui-même. D'autant que Louis VII, cloué au lit par la paralysie, ne peut se rendre à Reims. La reine Adèle de Champagne reste auprès de son mari. Philippe reprend donc sans ses parents la route qui conduit au lieu sacré du couronnement des rois. Déjà sont présents dans la ville de nombreux grands seigneurs comme Baudouin V, comte de Hainaut, venu avec quatre-vingts chevaliers, et même les princes d'Angleterre, comme Richard, futur Cœur de Lion, second fils d'Henri II et de la reine Aliénor d'Aquitaine.

anxieux : inquiet

Le jour venu, Philippe entre dans la cathédrale, s'avance jusqu'à l'autel et s'agenouille. Puis il monte sur une estrade installée dans le chœur. Commence alors pour ce jeune homme de

le chœur : la partie de la cathédrale où se trouve l'autel

15

quatorze ans une interminable et impressionnante cérémonie. L'archevêque de Reims, Guillaume aux Blanches mains, oncle du roi, sort délicatement d'un coffret une précieuse ampoule de cristal. Elle renferme une poudre mystérieuse. C'est ce qui reste d'une huile qu'autrefois une colombe céleste apporta à Reims pour le baptême de Clovis en 496. Guillaume ouvre le flacon. Du bout d'une longue aiguille d'or, il en prélève quelques parcelles qu'il mélange avec de l'huile sacrée. Avec, il trace une croix sur la tête, une autre sur la poitrine, entre les épaules, sur les épaules, à la jointure des bras et sur les mains de Philippe. Désormais, il est un personnage sacré, intermédiaire entre Dieu et les hommes.

Guillaume prend ensuite la lourde couronne royale et la dépose sur la tête de son neveu. Puis il couvre les épaules du jeune homme d'un lourd manteau. Enfin il lui remet l'épée et les éperons d'or. Philippe debout se retourne vers les chevaliers et le peuple réunis dans la nef. Il promet d'assurer la paix et de lutter pour la justice. Retentit alors par trois fois le cri de mille voix :

« VIVE LE ROI ! »

Philippe ne ressent ni orgueil ni euphorie. Il va diriger le plus vaste des royaumes d'Occident.

Clovis :
roi franc du
Vᵉ siècle qui
s'est converti
au catholicisme

des parcelles :
de fines particules

l'euphorie :
une vive excitation

Mais de nombreuses provinces ne lui appartiennent pas. Elles sont dirigées par de puissantes et riches familles. Surtout, l'ouest de la France appartient au roi d'Angleterre. Les grands seigneurs lui doivent pour leurs provinces l'hommage de vassalité. Mais Philippe sait bien qu'ils le trahiront à la première occasion.

Que faire ?

la vassalité :
le lien de dépendance à un seigneur, le suzerain, à qui on doit rendre hommage pour un domaine

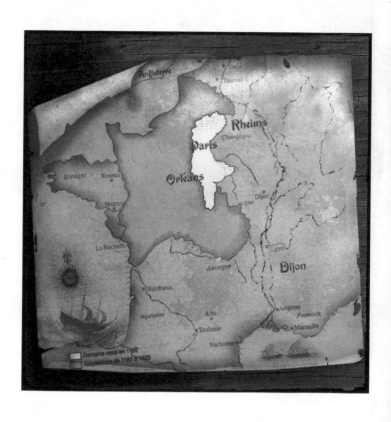

Face aux grands seigneurs

Lorsqu'il regagne le domaine qui lui appartient en propre, c'est-à-dire à quelques kilomètres de Paris, sa décision est prise : il agrandira ses terres, s'enrichira et fera courber la tête à ces puissants orgueilleux.

« Maintenant à nous deux, roi d'Angleterre, comte de Champagne, duc de Bourgogne ! » S'enrichir : là est le nerf de la guerre. Pour l'instant, Philippe n'a pas d'argent. Où en trouver ? Lorsqu'il longe la Seine pour arriver dans son palais de l'île de la Cité, il contemple les belles maisons à étages des marchands installés sur les quais et les ponts. Eux au moins sont riches. Et si… ?

Dans une salle du palais, Philippe convoque aussitôt quelques conseillers.

« Vous savez, Sire, que les bourgeois de votre bonne ville de Paris sont déjà pressurés de taxes !

le domaine royal : au début du règne de Philippe, le domaine royal ne comprend que les comtés d'Orléans et de Paris, un mince territoire qui va du sud de la Loire jusque vers les collines de Laon et de Senlis.

pressuré : écrasé, accablé

19

une synagogue :
le lieu de prière
des juifs

– Ce n'est pas à cela que je pense. J'ordonne que tous les banquiers et marchands juifs soient arrêtés. Demain samedi, ils seront réunis pour prier dans leur synagogue, la chose sera facile. Je ne les ferai libérer que lorsqu'ils auront versé au trésor royal tout leur or et leurs étoffes précieuses. Leurs meubles confisqués ne leur seront restitués qu'en échange d'une somme que je fixerai en temps voulu. »

« Autre chose, mes damoiseaux, j'ai décidé d'épouser Isabelle de Hainaut. Non pas qu'elle me plaise ni que je l'aime. Je ne l'ai jamais vue. Mais son père, le comte de Hainaut, est riche. Peut-être ses terres me reviendront-elles un jour… »
Effectivement, le 29 avril 1180, Philippe épouse Isabelle de Hainaut. Qu'importe que cette charmante enfant, vive et volontaire, ne soit âgée que de dix ans à peine.

Roi de plein exercice

Philippe agit comme un roi, mais le vrai souverain demeure le roi Louis VII. Or voilà que le 18 septembre 1180, après quarante années de règne, moins d'un an après le couronnement de son fils, Louis VII meurt. Désormais, c'est Philippe qui **détient** la totalité du pouvoir. Les grands seigneurs, ses oncles et cousins, espèrent profiter de sa jeunesse pour le dominer. Ils le **flattent** en lui offrant cerfs et daims, mais Philippe reste distant. Alors en secret, ils nouent entre eux des alliances. Ils **fomentent** des complots contre le jeune roi qui craint à tout instant d'être assassiné.

Philippe s'entoure de gens de confiance : gardes du corps, cuisinier, conseillers fidèles choisis parmi la bourgeoisie des villes et les moines cultivés. Il organise un réseau d'agents, les baillis, répartis sur tout le territoire. Il entreprend enfin une série d'expéditions militaires victorieuses contre les princes ligués

détenir : posséder

flatter : faire plaisir à quelqu'un pour obtenir quelque chose en retour

fomenter : préparer secrètement

contre lui. En juillet 1185, ils doivent signer le traité de Boves qui accorde à Philippe le riche comté d'Amiens :

« Quoi qu'il advienne à présent, les barons perdront en hommes et en âge. Quant à moi, Philippe, avec l'aide de Dieu, je croîtrai en hommes, en âge et en sagesse. »

Il n'a encore que vingt ans.

Il manque au roi un fils pour assurer la lignée des Capétiens. Le 5 septembre 1187, Isabelle donne naissance à Louis, héritier de la couronne. Mais trois ans plus tard, la reine meurt dans sa vingtième année en accouchant de jumeaux morts-nés. Philippe en est simplement attristé. La mort en ce temps est compagne du quotidien : elle menace les chevaliers qui se livrent à des tournois violents, les petites gens qui meurent de faim quand les récoltes ne sont pas bonnes, et tout un chacun lorsqu'une épidémie se déclare. Philippe surtout songe aux dangers qu'il va lui-même affronter. Il s'apprête en effet à partir pour une expédition guerrière lointaine et périlleuse, la croisade.

un tournoi : au Moyen Âge, fête pendant laquelle les chevaliers s'affrontaient

une épidémie : la propagation d'une maladie contagieuse

Philippe en croisade

Quelque temps auparavant, le grand chef musulman Saladin s'est emparé de Jérusalem, la ville sainte des chrétiens, là où Jésus fut crucifié. Il a fait enlever la grande croix d'or qui domine la cité. À Rome, le pape refuse de laisser le tombeau de Jésus-Christ aux mains des musulmans. Il promet le pardon des péchés à ceux qui feront coudre la croix sur leur vêtement, rouge pour les Français, blanche pour les Anglais, verte pour les Flamands, et qui partiront affronter les armées de Saladin.

Saladin : Sultan d'Égypte et de Syrie (1138-1193)

Le premier à se mettre en ordre de bataille est le vieil empereur allemand Frédéric Ier Barberousse, bientôt soixante-dix ans. Avec près de cent mille hommes dit-on, il longe le Danube, franchit le Bosphore qui sépare l'Europe de l'Asie et traverse l'actuelle Turquie. Hélas, alors qu'il passe une rivière à gué, son cheval trébuche. Frédéric tombe et est emporté par le courant qui le noie. C'en est fini de la

trébucher : perdre l'équilibre

croisade germanique. La légende prétend que Frédéric n'est pas mort et que sa barbe continuera à pousser pour les siècles des siècles.

De leur côté, le roi de France et le roi d'Angleterre ne se précipitent pas. Ils passent leur temps à se chercher noise et à monter des alliances l'un contre l'autre. À ce jeu-là, Philippe est le plus fort. Il complote avec Jean et Richard, les propres fils d'Henri II d'Angleterre, qui vivent l'essentiel du temps en France. Il s'entend surtout avec Richard l'aîné, qui devient son ami fougueux et téméraire.

Philippe prend un malin plaisir à informer Henri II de la trahison de ses fils. Dans un accès de colère, rongé par la fièvre, Henri meurt découragé à Chinon le 6 juillet 1189. « Je ne me soucie plus ni de moi ni du monde », dit-il en s'éteignant. Richard Cœur de Lion succède à son père. Sa complicité avec Philippe fait place aussitôt à la rivalité de deux souverains qui veulent chacun étendre leur territoire. Si l'un part en croisade avant l'autre, celui qui est resté ne manquera pas d'en profiter pour s'emparer de places fortes et de provinces. Le pape excédé envoie son légat : un accord est obtenu pour que Philippe et Richard partent en même temps.

chercher des noises (ou se chercher noise) : chercher des prétextes pour se battre

la rivalité : la lutte

excédé : exaspéré

un légat : un ambassadeur du pape

Le 24 juin 1190, Philippe se rend à l'abbaye de Saint-Denis où est conservée l'oriflamme qui va mener à la guerre les soldats de France. Puis il se rend à Vézelay, haut lieu sacré de Bourgogne, où il a rendez-vous avec Richard. Les deux rois promettent de ne pas se chercher querelle pendant la croisade. Richard descend le Rhône pour se rendre à Marseille où l'attendent ses navires. Philippe gagne Gênes en Italie car il y a loué six bateaux pour ses troupes. C'est bien peu, mais il manque encore d'argent. Quand il fait escale en Sicile pour y passer l'hiver en attendant la fin des tempêtes, il fait pâle figure à côté du flamboyant Richard arrivé avec toute sa flotte au son des trompettes.

une oriflamme : un drapeau

se chercher querelle : chercher des prétextes pour se battre

Fin mars, Philippe embarque et traverse la Méditerranée. Le 7 juin 1191, sous une chaleur accablante, il met le pied sur le sol désertique de la Terre sainte, sous les remparts de Saint-Jean-d'Acre. Sont là auprès de Philippe les grands barons de France, le duc de Bourgogne, le comte de Flandre et plusieurs évêques tous prêts à affronter les musulmans avec leurs massues, car ces hommes d'Église n'ont pas le droit de faire couler le sang par le fer. Richard le rejoint un mois plus tard.

La ville affamée est bientôt prise et les habitants n'échappent à la mort qu'en versant 250 000 pièces d'or à Richard et à Philippe. Mais voilà qu'une épidémie ravage les rangs croisés. Philippe est frappé d'une forte fièvre. Ses cheveux tombent, puis ses ongles et des lambeaux entiers de peau sur les mains et les pieds. Une énorme verrue finit même par lui couvrir un œil et le rendre borgne et repoussant. Philippe décide d'écourter son séjour et de rentrer en France. Décision difficile. Ne va-t-on pas dire qu'il a abandonné sa mission divine qui était de délivrer le tombeau du Christ ? Ne va-t-on pas croire qu'il a eu peur ? Mais il n'a que faire du qu'en-dira-t-on : il veut profiter de l'absence de Richard pour régler au mieux les affaires de France. Il rembarque en août 1191 et retrouve Paris vers la Noël.

le qu'en-dira-t-on : ce que disent les autres

Face à Richard Cœur de Lion

Resté en Terre sainte, Richard guerroie. Il massacre à qui mieux mieux quelques milliers de prisonniers arabes, 2 700 hommes et 300 femmes, mais ne parvient pas à s'emparer de Jérusalem. Pendant ce temps, Philippe noue des relations avec Jean sans Terre, régent du royaume d'Angleterre. Jean rêve de devenir roi à la place de son frère. Il aimerait le voir occis en Terre sainte. Richard comprend qu'il lui faut rentrer à son tour. Il embarque en octobre 1192 mais une tempête le précipite sur l'île grecque de Corfou. Craignant d'être fait prisonnier par les seigneurs de la région, il se déguise en simple voyageur et poursuit sa route par voie de terre avec quelques compagnons. Il est démasqué en décembre près de Vienne, sur les terres du duc d'Autriche Léopold qui le remet à l'empereur allemand Henri VI.

Philippe Auguste propose à l'empereur une forte somme pour prolonger au maximum

un régent :
une personne qui dirige le royaume lorsque le roi n'est pas en âge de gouverner ou est absent

occis :
tué

27

la captivité :
l'emprisonnement

la captivité de Richard. Il en profite pour s'emparer des vastes territoires du Vexin au nord-ouest de Paris. Jean sans Terre laisse faire pour conserver le pouvoir le plus longtemps possible. C'est à sa mère, Aliénor d'Aquitaine, que Richard doit d'être relâché en échange d'une rançon payée en lingots d'argent. Le 12 mars 1194, Richard débarque en Angleterre, décidé à récupérer son trône.

Entre Philippe et Richard c'est désormais la guerre ou plutôt des séries de coups de main entrecoupés de trêves. Afin de protéger son duché de Normandie, Richard fait bâtir à Château-Gaillard, sur une falaise en à-pic de cent mètres au-dessus de la Seine, un formidable château fort. Treize mois suffisent pour l'édifier, une prouesse.

une trêve :
un arrêt momentané des combats

« Je le prendrai, ses murs fussent-ils de fer, s'écrie Philippe.

– Je le garderai, ses murs fussent-ils de beurre », réplique Richard.

Mais Richard doit partir dans le Limousin régler une querelle avec un de ses vassaux. Lors du siège du château de Châlus, il est blessé par une flèche. La plaie s'infecte et il meurt sous sa tente le 6 avril 1199. Il a quarante et un ans. Jean sans Terre le rusé, le détesté, lui succède à la tête de l'Angleterre.

une querelle :
un désaccord

une plaie :
une profonde blessure

À l'hiver 1203, Philippe Auguste plante ses tentes en vuc de Château-Gaillard que tient une garnison anglaise et normande. Il édifie une tour roulante protégée de plaques de fer. Il installe des catapultes qui peuvent lancer des rochers de cinquante kilos, et des trébuchets qui balancent trois pierres à la fois. Il dispose des balistes qui tirent des flèches enflammées. Il fait amener des béliers à la tête bardée de fer qui ébranleront la grande porte du château. Remplis d'audace, des sapeurs percent le rocher et creusent une galerie souterraine jusqu'aux fondations de la tour du côté est. Quand le trou est suffisamment grand, ils y entassent des troncs d'arbres et y mettent le feu qui fait s'écrouler le mur dans un assourdissant fracas. Sous une pluie de flèches lancée par les défenseurs, nos hommes abrités par leurs boucliers, se lancent à l'assaut. Ils pénètrent par la brèche et taillent en pièces les Anglais. L'accès à la Normandie est ouvert. En 1203, la riche province devient française.

édifier :
construire

un sapeur :
un homme chargé
de creuser
des galeries

une brèche :
une trouée
dans les remparts

tailler en pièces :
anéantir

L'Auguste, l'amour et Dieu

Chauve, sans poils ni ongles, laid désormais, Philippe est pourtant devenu l'« Auguste » parce qu'il est grand et glorieux dans la mémoire des hommes.

Philippe s'est enrichi, mais il n'est pas heureux en famille. Sa première femme, Isabelle, est morte à vingt ans. En août 1193, il se remarie avec Ingeburge, une jeune princesse de dix-neuf ans, fille du roi de Danemark. Il espère ainsi obtenir l'appui de la puissante flotte danoise pour envahir l'Angleterre. Mais fait étrange, la nuit des noces se passe au plus mal.

« Elle m'a jeté un sort » affirme Philippe. Dès le 5 novembre, le roi fait annuler son mariage par des prélats à sa solde, puis enferme Ingeburge dans un couvent. Il se remarie très vite avec une nommée Agnès de Méran dont il a deux enfants. Mais le pape Innocent III soutient Ingeburge. Il refuse l'annulation du mariage royal. Il exige qu'Agnès, « l'épouse ajoutée », soit chassée. Le 6 décembre 1199, il menace la France d'interdit : si le roi ne cède pas,

à sa solde :
payé pour défendre ses intérêts

toutes les églises seront fermées, les messes ne seront plus dites, les naissances ne seront pas enregistrées, les défunts ne pourront être enterrés dans les cimetières. Philippe cède. Il craint une révolte populaire et la colère de Dieu. Agnès est écartée et mourra un an plus tard en donnant naissance à un fils mort-né.

un défunt :
un mort

Philippe pense avoir donné suffisamment de gages à l'Église. En 1209, lorsque le pape appelle à la croisade contre les Albigeois du sud de la France, il laisse partir des seigneurs comme Simon de Montfort, mais ne participe pas directement à l'expédition.

des gages :
des garanties

les Albigeois :
les Albigeois ou Cathares rejetaient l'autorité du pape

Ingeburge demeure toutefois captive. Enfermée au château d'Étampes, au sud de Paris, mal nourrie, jamais soignée, rarement visitée, elle se désespère. Le pape écrit alors à Philippe : « Le roi s'expose non seulement à la colère de Dieu mais à la haine des hommes en traitant comme une vile esclave une princesse d'origine royale, sœur, épouse et fille de roi. » Philippe ne plie qu'en 1213. Ingeburge à trente-huit ans. Elle aura vécu vingt ans entre monastère et prison. Elle pardonnera à son époux et lui survivra treize ans.

vil :
simple

La dernière bataille

un sergent :
un écuyer qui
servait un seigneur

un fantassin :
un soldat qui
combattait à pied

Au nord, le vieil ennemi anglais vient de s'allier à l'empereur d'Allemagne Othon pour combattre les Français. Face à cette menace, Philippe rassemble au plus vite 1 200 chevaliers, 1 200 sergents à cheval et 5 000 fantassins. Il n'envisage pas de bataille, juste de brûler récoltes et villages de l'ennemi sans faire trop de mal aux seigneurs. Mieux vaut les faire prisonniers pour obtenir le versement d'une rançon. Mais le 27 juillet 1214, alors qu'il s'apprête à traverser le pont de Bouvines, Philippe apprend de son conseiller favori Guérin que le gros des troupes ennemies s'apprête à l'attaquer. Plutôt que la fuite, Guérin propose l'attaque.

La bataille s'engage, féroce. Les soldats à pied anglais coupent les jarrets des chevaux qui s'effondrent. Philippe lui-même est renversé. Il ne doit la vie sauve qu'à son armure et à un chevalier qui lui fait rempart de son corps. Dans le camp ennemi, Ferrand, comte de Flandre, est désarçonné ; il préfère se rendre aux hommes de Philippe. Les chevaliers français s'enfoncent dans les troupes allemandes, pourtant plus nombreuses, et parviennent si près d'Othon qu'ils le saisissent à deux reprises par le cou. L'empereur évite les coups de couteau qui glissent sur son armure et parvient à se dégager. Au grand galop, il quitte le champ de bataille. Le soir tombe, les Français courent la campagne à la poursuite des fuyards. La victoire est totale. Le lendemain, l'armée royale reprend le chemin de Paris, partout acclamée par les populations. Enfermé dans une cage de fer, le comte de Flandre ne récolte que des huées sur son passage. D'énormes charrettes transportent un fabuleux butin, des armes et de l'or. À Paris, la fête dure une semaine.

les huées :
les cris hostiles

Philippe a bien mérité son surnom d'Auguste. En quarante-trois années de règne, l'enfant pauvre et menacé est devenu un souverain riche et puissant. Las ! En 1223, une comète fulgurante traverse le ciel. Mauvais présage. Le 11 juillet, au château de Pacy-sur-Eure, le roi tombe malade. On lui prescrit la diète mais il aime trop les bons plats et le vin pour s'en priver. Les médecins se contentent de lui pratiquer une saignée. Philippe veut regagner

une comète :
Il s'agissait de la comète de Halley

un présage :
un signe qui annonce l'avenir

une diète :
un régime

inhumé :
enterré
**la basilique
Saint-Denis :**
basilique
où sont enterrés
les rois de France

Paris. Il s'éteint en chemin le 14 juillet 1223. Son corps est baigné d'huile parfumée, déposé dans un cercueil et inhumé en la basilique Saint-Denis, aux portes de Paris.

Philippe avait cinquante-huit ans.

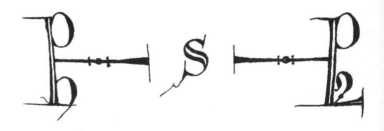

Alain Dag'Naud

La quête du Graal

Illustré par Antoine Ronzon

La Table ronde et le Siège Périlleux

périlleux :
dangereux

La veille de la Pentecôte, au début de l'après-midi, les chevaliers de la Table ronde sont réunis autour du roi Artus dans le château de Camaaloth. Soudain, une jeune fille pénètre à cheval dans la salle, salue l'assemblée et demande si le chevalier Lancelot du Lac est présent.

« Me voici ! répond-il.

– Lancelot, je vous prie de me suivre jusque dans la forêt.

– Et pourquoi avez-vous besoin de moi ?

– Vous le verrez bientôt. Mais soyez sûr que vous serez de retour dès demain matin. »

Lancelot fait seller son cheval, et les voici qui chevauchent jusqu'au fond d'une vallée ombragée où s'élève une abbaye. Lancelot y pénètre et est mené jusque dans une chambrette

la Pentecôte :
fête chrétienne célébrée le septième dimanche après Pâques

roi Artus ou Arthur :
roi légendaire de Bretagne qui aurait vécu à la fin du Vᵉ siècle

Camaaloth ou Camelot :
château mythique du roi Arthur

une abbaye :
un couvent dans lequel vivent les religieux

un cloître :
la cour centrale
d'une abbaye
entourée d'une
galerie couverte

un damoiseau :
un jeune homme
qui n'est pas encore
chevalier

exaucer :
réaliser

un vœu :
un souhait

ouvrant sur le cloître. Au bout de quelque temps, trois religieuses apparaissent ; elles accompagnent un jeune homme.

« Seigneur, dit l'une d'elles, je vous présente ce damoiseau que nous avons élevé. Nous souhaitons que vous le fassiez chevalier, car nul n'en est plus digne. »

Lancelot regarde le jeune homme, s'étonne de sa beauté, s'attache à la pureté de son regard, et répond qu'il exaucera leur vœu.

« Seigneur, dit la plus âgée des religieuses, nous souhaitons que ce soit dès demain. »

Lancelot passe donc la nuit en prière avec le jeune homme dans la chapelle de l'abbaye. À la première heure du jour, il l'adoube chevalier : il lui attache des éperons aux pieds, lui ceint le porte-épée, lui assène la colée, une forte gifle sur la joue, puis l'embrasse sur la bouche en signe de bon accueil dans l'ordre de chevalerie. « Voulez-vous m'accompagner à la cour du roi Artus ? lui demande Lancelot.

– Non seigneur, je n'irai pas maintenant mais quand l'heure sera venue. »

Lancelot quitte l'abbaye et regagne au galop le château de Camaaloth.

Dans la salle haute du donjon, dite salle de la Table ronde, chaque siège porte le nom du chevalier qui doit l'occuper. Mais devant le grand fauteuil que l'on appelle le Siège Périlleux, aucun nom, simplement une inscription mystérieuse :

« Un jour de Pentecôte, ce siège trouvera son maître. Mais nul ne doit s'y asseoir s'il n'en est digne, au risque de perdre la vie. »

adouber :
armer chevalier lors d'une cérémonie

un éperon :
une pièce de métal terminée par un ergot avec laquelle un cavalier pique les flancs d'un cheval pour le faire avancer

ceindre :
attacher autour de la taille

asséner :
donner un coup violent

la colée :
une tape donnée avec la paume de la main sur la nuque de celui qui est fait chevalier

un donjon :
la tour la plus importante d'un château dans laquelle vit le seigneur

Excalibur, l'épée magique

Excalibur :
épée magique qui avait la réputation d'être incassable et de trancher toutes les matières

échoué :
qui s'est immobilisé sur la berge

le pommeau :
extrémité d'une épée permettant de la saisir

l'audace :
l'insolence

Les chevaliers s'interrogent lorsqu'un jeune écuyer entre dans la salle et s'adresse au roi : « Sire, j'ai vu au pied de votre château un gros bloc de pierre flotter sur l'eau. Venez le voir. » Tous se précipitent pour découvrir un rocher de marbre rouge échoué sur le rivage. Une longue épée précieuse y est plantée. Sur son pommeau est gravée une inscription en lettres d'or : *« Je m'appelle Excalibur et jamais personne ne pourra m'enlever sinon celui qui doit me pendre à son côté. Et ce sera le meilleur chevalier du monde. »*

« Seigneur, dit le roi à Lancelot, cette épée est donc pour vous.

– Sire, répond Lancelot, je n'aurai pas l'audace d'y porter la main, car elle est pour plus valeureux que moi. »

Le roi demande à son neveu, messire Gauvain, qui saisit l'épée, tire de toutes ses forces mais ne peut la dégager. Perceval s'y essaie à son tour, mais en vain. Plus personne n'a dès lors assez d'audace pour tenter de s'emparer de l'épée.

aviser :
réfléchir pour décider de ce que l'on doit faire

une clarté :
une lumière
baigner :
éclairer, illuminer

un écu :
un bouclier

le Graal :
Selon la légende, la coupe du Graal aurait été taillée par des anges dans une émeraude

« Allons dîner, dit le roi, nous aviserons plus tard. » Les chevaliers se retirent donc en laissant là le bloc de marbre.

Autour de la Table ronde tous les compagnons sont assis. Seul reste libre le Siège Périlleux. Au moment où Artus lève son verre à la santé de ses invités, un fait extraordinaire survient. Toutes les portes et les fenêtres se ferment d'elles-mêmes et une étrange clarté baigne la pièce. Un vieillard tout de blanc vêtu apparaît, comme venu de nulle part. Il tient par la main un beau et jeune chevalier revêtu d'une armure d'un rouge éclatant, mais sans écu ni épée.

« Roi Artus, dit le vieillard, je t'amène le Chevalier Désiré, celui par qui s'accomplira la quête du Graal. Lui seul sera digne d'approcher le vase sacré où fut recueilli le liquide d'immortalité qui s'écoulait de la poitrine de Jésus crucifié. »

Puis il conduit le jeune homme droit au Siège Périlleux. L'inscription mystérieuse a disparu. Une inscription y figure maintenant : « *Ceci est le siège de Galaad.* »

Le vieillard dit à haute voix : « Seigneur chevalier, asseyez-vous ici car cette place est la vôtre. »

Le jeune homme s'assied sans hésiter. Lancelot l'a reconnu. Il s'agit du bel inconnu qu'il a armé chevalier le matin même. Le vieillard a accompli sa mission ; il se retire.

Le roi s'approche alors de Galaad : « Seigneur, soyez le bienvenu, car nous avons ardemment désiré vous voir. Je ne doute pas que vous soyez le meilleur chevalier du monde. Aussi je vous prie de me suivre. »

ardemment : vivement

Artus, Galaad et tous les chevaliers sont rassemblés sur la grève autour du bloc de marbre. « Seigneur, voici votre épreuve : ôtez cette épée de ce rocher, ce que n'ont pu faire aujourd'hui les hommes les plus forts de ma cour. »

ôter : enlever

Galaad pose la main sur l'épée, la retire sans aucun effort et la place dans la ceinture que lui avait offerte Lancelot à son adoubement.

adoubement : la cérémonie pendant laquelle un jeune homme est armé chevalier

Le vase mystérieux du Saint-Graal

un banquet :
un grand repas organisé pour fêter un événement important

surnaturel :
extraordinaire, qui n'appartient pas au monde naturel

une étoffe de soie :
un tissu précieux fin, brillant et doux

suave :
doux, agréable

un flot :
une grande quantité

Dans la salle haute du donjon, les chevaliers reprennent leur place autour de la Table ronde et se préparent pour un banquet. Ils sont tous assis lorsque, déchirant le silence, faisant trembler les murailles, un coup de tonnerre énorme éclate. Aussitôt une lueur éblouissante inonde la salle, illumine chacun d'une clarté surnaturelle. Les chevaliers restent silencieux, incapables de prononcer une parole. Alors apparaît le Saint-Graal, un vase recouvert d'une étoffe de soie blanche, porté par une main invisible. Une odeur suave, comme jamais on n'en sentit, se répand.

Le vase passe au-dessus de la tête de chaque chevalier, répand sur chacun un flot de pensées heureuses, et disparaît sans que nul ait pu voir où il est parti.

Les chevaliers émerveillés recouvrent peu à peu l'usage de la parole.

Ils se lèvent et s'engagent, d'abord Galaad, puis Lancelot, Gauvain, Perceval, Bohort, Lionel et les autres compagnons de la Table ronde, à retrouver le Graal :

« Je fais le serment que dès demain matin, j'entreprendrai la Quête et que je la poursuivrai pendant un an et un jour, et davantage s'il le faut. J'ajoute que je ne reviendrai pas à la cour avant d'avoir vu le Saint-Graal plus distinctement qu'il ne m'est apparu ici, si du moins une telle faveur peut m'être accordée. »

entreprendre :
commencer
la quête :
la recherche

Lorsque chacun a promis, un vieil et saint ermite prend la parole :
« Écoutez-moi, vous tous chevaliers de la Table ronde qui avez juré de participer à la quête du Saint-Graal. Sachez que personne ne doit l'entreprendre sans être en état de pureté et de paix intérieure, lavé de tout péché mortel. Cette quête, en effet, n'est pas la recherche des richesses et du pouvoir. Elle est la quête des grands mystères de Dieu. Le Tout-Puissant ne révélera ses merveilles qu'à celui qu'Il a choisi. Il lui fera contempler ce que l'esprit humain ne peut concevoir, ce que la parole humaine ne peut exprimer. »

un ermite :
un moine qui vit
retiré, dans
la solitude

un péché mortel :
une faute grave
selon la religion
chrétienne

contempler :
regarder
avec admiration
concevoir :
imaginer

L'écu blanc à la croix de sang

Les chevaliers s'apprêtent pour la périlleuse aventure. Chacun ira de son côté, sur le chemin de son destin. Galaad monte en selle. Mais pourquoi part-il sans un écu qui le protégera des coups d'épée ou de lance ? Le roi Artus lui en fait réflexion :

« Seigneur, il me semble que vous n'êtes pas raisonnable de ne pas prendre d'écu comme le font nos chevaliers.

– Sire, je commettrais une faute si j'en prenais un ici et je n'en prendrai point avant que le sort ne m'en procure un. »

Après avoir quitté ses compagnons, Galaad chevauche longtemps dans la forêt. Au cinquième jour, en fin d'après-midi, il se trouve devant une abbaye de moines blancs. Il frappe à la porte.

Un moine vient lui ouvrir ; il le conduit auprès du père abbé qui lui fait part d'un mystère : il y a dans la chapelle un écu que personne ne peut

le destin :
une puissance qui règle le cours des choses et qu'on ne peut changer
lui en fait réflexion :
le lui fait remarquer

le sort :
un événement surnaturel
procurer :
donner

pendre à son cou ni emporter sans être tué ou
blessé dans les deux jours qui suivent.

« Personne ne doit le porter sauf vous, sur
l'ordre du Tout-Puissant. Aussi m'a-t-il chargé
de vous le remettre. »

Galaad le saisit, contemple la blancheur
surnaturelle du métal et l'étrange croix de sang
qui y est gravée. Il le passe au-dessus de son
armure. Désormais, il peut affronter tous les
dangers.

Le navire porte-épée

Galaad chevauche par le grand chemin de la Forêt Gaste, abandonnée parce que nul n'ose plus, sans terreur, la traverser. Il arrive devant la cabane d'un vieil ermite qui lui offre l'hospitalité. Dans la nuit, alors qu'ils dorment sur des bottes de foin, ils sont réveillés par des coups frappés à la porte. Une jeune fille est là qui veut parler à Galaad :

l'hospitalité : action de recevoir quelqu'un chez soi

« J'ai besoin de vous. Armez-vous, montez à cheval et suivez-moi. Je vous assure que je vous montrerai la plus belle aventure que vît jamais chevalier. »

Galaad aussitôt prend ses armes et monte en selle. La demoiselle s'en va alors de toute la vitesse de sa monture, et lui la suit. Ils chevauchent pendant trois jours jusqu'à la mer où les attend un bateau.

À son bord, il n'y a que deux hommes, deux chevaliers de la Table ronde, Bohort et Perceval, qui les accueillent avec d'autant plus de joie que Perceval a reconnu sa sœur.

« Vous voici enfin avec nous ! Montez, car il ne nous reste plus qu'à partir. »

La nef gagne le large, poussée par une brise soutenue. Bientôt la terre a disparu. Ils voguent ainsi toute une nuit et tout un jour avant de jeter l'ancre sur une île déserte, au pied de hautes falaises. Une fois là, ils découvrent un autre bateau.

la nef : un grand navire à voiles

le large : la haute mer

une brise : un vent léger

« Chers seigneurs, dit la demoiselle, c'est en ce navire qu'est l'aventure pour laquelle Dieu nous a réunis. »

Ils s'approchent et voient une inscription sur la coque :

« Écoute, toi, qui que tu sois, qui veux monter à mon bord. Assure-toi, avant d'entrer, d'être pur de tout grave péché. »

« J'entrerai dans cette nef, dit Perceval. Savez-vous pourquoi ? Afin d'y mourir si je ne suis pas digne, afin d'être sauvé si je le mérite. »

Quand tous les quatre sont montés à bord, sur le pont de bois précieux ils découvrent un lit somptueux avec à sa tête une couronne d'or et à son pied une épée très étrange. Le pommeau est fait d'une énorme pierre précieuse enfermant deux os de poissons : quand on a la main dessus, l'un éloigne les blessures, l'autre fait oublier la souffrance.

somptueux : magnifique, richement orné

51

le fourreau :
la gaine,
l'étui d'une épée

Le fourreau est en cuir rouge de serpent et, sur la lame de l'épée, est écrit en lettres de sang : *« Qui me tirera du fourreau devra se montrer plus vaillant que quiconque. »*

Mais le ceinturon est de pauvre toile de chanvre, ce dont chacun s'étonne pour une si belle épée. Une inscription y est portée :

le chanvre :
plante dont
on utilise les fibres
pour fabriquer
du tissu

« Celui au côté duquel je pendrai ne peut être vaincu tant qu'il portera le baudrier auquel je serai désormais rattachée. Nul homme n'a le droit d'ôter ce ceinturon. Il ne peut être ôté que par la main d'une femme, fille de roi, qui mettra à la place un autre baudrier fait de la part d'elle-même qu'elle préfère. Cette jeune fille nommera cette épée et ce baudrier par leurs vrais noms. »

le baudrier :
une bande de cuir
portée en écharpe
qui soutient
une épée

La sœur de Perceval ouvre alors un coffret qu'elle porte avec elle et en sort un magnifique ceinturon tressé de cheveux et de fils d'or. « Chers seigneurs, dit-elle, voici le baudrier qui convient. Je l'ai fait, apprenez-le, de ce que j'avais de plus précieux sur moi, mes cheveux. »

d'étoupe :
constitué
de chanvre

Elle remplace le baudrier d'étoupe par le sien. « Apprenez maintenant que cette épée s'appelle *l'Épée aux étranges attaches* et le fourreau *Mémoire de sang*. Cette épée vous est destinée, Galaad. »

La jeune fille lui détache son ancienne épée et lui ceint la nouvelle à l'aide du ceinturon précieux. Perceval de son côté garde Excalibur. Puis ils quittent la nef merveilleuse et regagnent leur navire qui les ramène sur les rivages de la Forêt Gaste où les attendent leurs destriers.

un destrier : un cheval de bataille

53

lépreuse :
malade de la lèpre,
maladie
contagieuse
très fréquente
au Moyen Âge

Du sang pour la lépreuse

Ils chevauchent jusqu'à midi et passent près d'un joli château fortifié où ils décident de ne pas s'arrêter.

fortifié :
entouré de défenses
militaires

Ils en sont déjà éloignés lorsqu'un chevalier les rattrape et leur demande :

« Seigneur, la demoiselle qui vous accompagne est-elle pure ?

– Oui, répond Bohort, assurément. »

la bride :
la partie du harnais
qui sert à diriger
le cheval

Le chevalier prend la bride du cheval de la belle et l'attire à lui :

« Alors elle doit me suivre pour donner son sang à la châtelaine de céans.

de céans :
d'ici

– Seigneur chevalier, réplique Perceval très irrité de le voir ainsi retenir sa sœur. Il n'en est pas question. »

irrité :
fâché

Dix chevaliers tout armés passent le pont-levis, lance pointée :

« Vous mourrez donc tous car vous ne pourriez nous résister, même si vous étiez les meilleurs chevaliers du monde. »

un renfort :
un effectif
supplémentaire

s'entretuer :
se tuer les uns
les autres

un devin :
une personne qui
prévoit l'avenir
une écuelle :
une assiette creuse
sans rebord
enduire :
recouvrir

escorter :
accompagner

Ils s'élancent les uns contre les autres. Les trois amis désarçonnent les dix chevaliers puis, tirant leur épée, ils les tuent sans plus de façon. Mais voilà qu'un renfort de soixante chevaliers surgit du château. La sœur de Perceval prend alors la parole :

« Arrêtez de vous entretuer. Puisque le sang que vous voulez est le mien, dites-moi ce que vous attendez.

– Il y a ici, sachez-le, une dame qui possède ce château et beaucoup d'autres. Or il y a deux ans, elle est tombée malade de la lèpre. Nous avons fait venir des médecins d'ici et d'ailleurs, mais aucun n'a su la soigner. Finalement, un devin nous a dit que si nous pouvions remplir une profonde écuelle du sang d'une jeune fille pure, il nous suffirait d'en enduire le corps de notre maîtresse pour qu'elle guérisse aussitôt.

– Seigneurs, dit alors la demoiselle aux trois compagnons, vous voyez bien que cette dame est malade et que sa guérison dépend de la décision que je prendrai. Je ferai donc ce qu'ils veulent, mais je sais que j'en mourrai. »

Les gens du château la remercient et l'escortent jusqu'à la chambre de la malade. Celle-ci n'a plus de visage, tout rongé par la lèpre, les bras et les jambes noirs, couverts de boutons.

La sœur de Perceval demande que l'on apporte l'écuelle. Elle tend son bras droit et se fait ouvrir la veine avec une petite lame aussi aiguë et tranchante qu'un rasoir. Le sang jaillit en abondance.

« Dame, dit-elle, je meurs pour vous guérir et pour éviter des morts inutiles. Priez tous pour mon âme car ma fin est venue. Perceval, mon cher frère, je vous demande de ne pas enterrer mon corps dans ce pays, mais déposez-moi sur une embarcation et laissez-moi voguer là où le destin me conduira. Demain, vous vous séparerez pour que chacun aille seul, jusqu'à ce que nous soyons tous à nouveau réunis. »

La jeune fille meurt. Ses compagnons ne peuvent s'en consoler. Le jour même, la châtelaine est lavée par le sang et aussitôt purifiée de sa maladie. Au soir, la sœur de Perceval est couchée sur un lit de soie et portée à une embarcation que le vent éloigne bientôt sur les flots.

Galaad et Lancelot du Lac

À quelque temps de là, sur un rivage du royaume de Corbenic, Lancelot du Lac s'est endormi. Lui aussi a beaucoup chevauché dans les sombres forêts à la recherche du Graal. Il entend une voix qui lui dit :

« Lancelot, réveille-toi, prends tes armes et monte à bord du premier esquif que tu trouveras. »

Il ouvre les yeux, se voit entouré d'une vive clarté qui se dissipe pour lui faire découvrir un bateau sans voile ni avirons. Il monte à bord et remarque un lit sur lequel est étendue une jeune morte. Près d'elle il y a une lettre :

« *Cette demoiselle était la sœur de Perceval le Gallois. C'est elle qui changea le baudrier de l'épée aux étranges attaches et le remit à Galaad, qui est le fils de Lancelot du Lac.* »

« Mon fils enlevé à sa naissance par sa mère, la reine des fées, Mélusine. Le jeune homme que j'ai fait chevalier près du château de Camaaloth ! »

un esquif :
une petite
embarcation

se dissiper :
disparaître

Mélusine :
fée légendaire
du Moyen Âge
qui pouvait
se transformer
en serpent

Lancelot prie fort et longtemps pour retrouver
son fils avant la fin de la Quête, le revoir et lui
parler.

Plus d'un mois il reste là, sans sortir de la nef.
Un matin, il entend le galop d'un cheval et voit
venir vers lui Galaad. Lancelot lui tend les bras
et tous deux s'embrassent avec des transports de
joie. Une brise de terre se met à souffler qui les
entraîne au large sans même qu'ils s'en rendent
compte. Ils restent ainsi une demi-année sur le
bateau, allant au gré des vents et des courants.

au gré de : en se laissant entraîner par

À Pâques, lorsque tout reverdit, ils abordent un
rivage inconnu, au pied d'une croix. Surgit un
chevalier vêtu d'une armure blanche qui
chevauche une magnifique monture et mène par
la main droite un cheval blanc. Il salue les deux
chevaliers et dit à Galaad :

« Seigneur, vous êtes assez longtemps resté
avec votre père. Sortez de cette nef, montez sur
ce beau cheval blanc et allez où le destin vous
conduira pour chercher et achever les aventures
du royaume du Graal. »

Galaad embrasse son père et monte à cheval.
Une voix se fait entendre :

« Que chacun de vous s'efforce de bien faire car
vous ne vous reverrez plus avant le jour du
Jugement. »

Lancelot approche le Graal

Un nouveau mois de navigation s'écoule avant que Lancelot n'arrive en vue d'un château qui domine la mer. Il distingue une porte ouverte entre les rochers devant laquelle deux lions montent la garde.

Le chevalier met pied à terre. Un songe lui a dit qu'il devait entrer dans ce château.

un songe :
un rêve

« Tu y verras une grande partie de ce que tu cherches et de ce que tu as tant désiré voir. »
Il prend ses armes, prêt à se battre contre les lions. Mais à peine a-t-il dégainé qu'une main de feu le frappe violemment et fait tomber son épée.

dégainé :
sorti son épée
de son fourreau

« Homme de peu de foi, Celui que tu sers a plus de pouvoir que toutes tes armes. »
Lancelot s'avance alors vers les lions qui s'asseyent quand ils le voient passer. Il entre, remonte la rue vers le donjon, en gravit les marches et arrive dans la grande salle. Il regarde de tous côtés mais ne voit personne.

Tout à coup, une porte s'ouvre et en jaillit une lumière aussi éblouissante que le soleil. Lorsque ses yeux se sont accoutumés, il ose regarder à l'intérieur. Il entrevoit sur une table d'argent le saint vase recouvert d'une étoffe de soie rouge. Tout autour des anges sont en prière. Devant est assis un vieillard vêtu comme un prêtre.

accoutumé : habitué

Lancelot s'approche pour découvrir ce que le vase peut enfermer, mais le souffle d'un vent de feu le frappe au visage. Il sent plusieurs mains le saisir et le déposer hors de la chambre. Le lendemain, les habitants du château le découvrent qui gît là, comme mort. Ils le déposent sur un lit où il reste vingt-quatre jours et vingt-quatre nuits, sans manger ni boire, sans remuer ni donner le moindre signe de vie. Les uns le disent mort, les autres vivant.

gît : étendu au sol (verbe *gésir*)

Le vingt-quatrième jour vers midi, Lancelot ouvre les yeux et pleure :

« Pourquoi m'avoir si tôt réveillé ? J'étais plus heureux que je ne le serai jamais. J'ai vu de telles merveilles, j'ai éprouvé un tel bonheur que ma langue serait incapable de vous les décrire car ce que j'ai vu n'était pas de ce monde. Dites-moi je vous prie, où je suis.
– Au château de Corbenic », répondent-ils.

Sa quête étant terminée, Lancelot décide de repartir pour Camaaloth et la cour du roi Artus.

Les prodiges de Galaad

Après avoir quitté Lancelot, Galaad a chevauché plusieurs jours au hasard avant d'arriver à une abbaye où s'est retiré un roi du nom de Mordrain. Quand il s'approche du souverain, qui n'y voit plus depuis des années et est paralysé, Mordrain recouvre la vue et s'assied sans peine sur son lit.

« Galaad, soldat de Dieu, toi le vrai chevalier que j'ai si longtemps attendu, serre-moi contre toi, laisse-moi m'appuyer sur ta poitrine afin que je puisse finir mes jours entre tes bras. » Galaad le serre sur sa poitrine et le vieillard peut mourir dans la joie.

Le chevalier reste deux jours avec les moines. Le troisième jour, il reprend son chemin, découvre une source bouillante où il plonge la main sans dommage. Les paysans des environs en sont tout éberlués. Ils lui demandent alors de les délivrer d'un sortilège qui hante le cimetière voisin. Une tombe fait entendre des coups sourds et brûle d'une manière extraordinaire.

éberlué :
stupéfait

un sortilège :
un maléfice

62

« Dites-moi comment accéder à ce caveau. »
Galaad descend les marches, s'approche de la
tombe, soulève la lourde pierre qui la recouvre.
La flamme s'éteint et apparaît un cadavre à la
bouche tordue qui lui dit :
« Je vous rends grâce. J'ai brûlé 354 ans dans
ces flammes pour avoir jadis beaucoup péché.
Enterrez-moi comme il se doit, et je serai en
paix pour l'éternité. »
Ce que fait Galaad avec l'aide d'un prêtre.
Les habitants lui demandent de rester, mais le
chevalier doit poursuivre sa mission. Perceval et
Bohort l'ont rejoint et tous trois sont impatients
de retrouver le Graal.

Le château de Corbenic

Ils chevauchent longtemps et parviennent à leur tour au château de Corbenic. Quand ils pénètrent dans la grande salle, un vent violent et chaud se met à souffler et une voix se fait entendre qui dit :

« Que ceux qui ne doivent pas prendre place à la table sacrée s'en aillent car bientôt les vrais chevaliers recevront la récompense céleste. »

céleste :
du ciel

À ces mots, tous quittent la salle, sauf nos trois compagnons, le seigneur du lieu, homme de grand mérite, son fils et une jeune fille, nièce du seigneur.

Une nouvelle voix retentit :

« Que ceux qui n'ont pas pris part à la quête du Saint-Graal s'éloignent d'ici car il ne leur est pas permis de rester. »

Le roi, son fils et sa nièce se retirent. Alors nos trois chevaliers voient descendre du ciel un homme vêtu comme un évêque. Il s'assied près de la Table d'argent où est le vase sacré du Graal. Quatre anges s'approchent.

Les deux premiers portent chacun un cierge, le troisième un linge de soie rouge. Le quatrième est armé d'une lance qui saigne. Il se dirige vers le vase et tient la lance droite au-dessus pour qu'y soient recueillies les gouttes du sang qui s'écoule.

L'évêque prend la parole :

« Soldats de Dieu, vous qui avez enduré tant de souffrances pour voir une partie des mystères du Saint-Graal, prenez place à cette table. » Et il disparaît mystérieusement.

Ils s'assoient et comme ils contemplent le vase, ils en voient sortir un homme nu dont les pieds, les mains et le corps sont tout sanglants : « Mes fils pleins de loyauté, vous qui m'avez tant cherché, il est juste que vous voyiez maintenant partie de mes secrets et de mes mystères. »

Il prend le vase et leur donne à manger du pain sacré, une nourriture dont ils n'auraient pu imaginer la douceur. Puis il s'adresse à Galaad : « Ce vase, où fut mangé l'agneau le jour de Pâques, je veux que tu le conduises au Palais spirituel vers lequel tes pas te mèneront. Pars cette nuit même avec tes compagnons, vas jusqu'à la mer, et sur le bateau où vous avez vu l'Épée aux étranges attaches, vous retrouverez le vase du Graal. »

endurer : supporter

le jour de Pâques : fête chrétienne qui célèbre la résurrection du Christ

Le triomphe de Galaad

Au sortir de la salle, les trois compagnons montent aussitôt à cheval, quittent Corbenic et galopent vers la mer qu'ils atteignent en quatre jours. Ils y trouvent le navire avec sur le pont la Table d'argent et dessus le Saint-Graal recouvert d'un voile de soie rouge. Dès qu'ils sont à bord, le vent gonfle les voiles et ils prennent le large.

Enfin ils arrivent au pied d'une cité. Une voix leur dit :

« Chevaliers, sortez de cette nef ! Prenez à vous trois la Table d'argent avec le vase, portez-la dans la cité mais ne la posez pas à terre avant d'être arrivés au Palais spirituel. »

Perceval et Bohort tiennent la Table par-devant et Galaad par-derrière. Mais arrivé près de la porte, Galaad commence à fléchir sous le poids. Il avise alors un mendiant avec ses béquilles, l'appelle et lui demande de l'aider.

« Ah, jeune homme, que demandez-vous là ? Voilà dix ans que je ne peux marcher sans aide. – Ne t'inquiète pas et viens », lui dit Galaad. À peine le mendiant a-t-il touché la Table qu'il retrouve toute sa santé et sa vigueur. La Table vient d'être déposée dans la grande salle du château lorsqu'un écuyer se présente, annonçant qu'un bateau sans voile ni rames arrive au port. Les trois chevaliers se précipitent et découvrent le navire sur lequel repose la sœur de Perceval, aussi pure et fraîche que si elle était morte la veille. Ils la portent au château où ils l'enterrent avec tous les honneurs dus à une reine. Puis ils font élever au-dessus de la table et du vase une arche d'or et de pierres précieuses.

Un an plus tard exactement, alors qu'ils viennent prier comme chaque jour de bon matin devant le vase sacré, ils trouvent, agenouillé devant la Table, un homme de grande beauté. Il se relève lentement, ôte le voile de soie rouge qui recouvre le vase et appelle Galaad :

« Approche, et tu verras ce que tu as tellement désiré voir. »

fléchir :
plier

aviser :
apercevoir

une béquille :
une canne munie
d'une poignée
sur laquelle peut
s'appuyer
une personne
qui a des difficultés
pour marcher

la vigueur :
la force physique

une arche :
une voûte

67

Galaad s'avance et se penche.
Tous ses membres se mettent alors à trembler :

« Je vois maintenant distinctement ce que
l'esprit ne peut concevoir ni la langue décrire.
Je vois là les mystères qui surpassent tous les
autres. Et puisqu'il en est ainsi, mon Seigneur,
acceptez, je Vous en supplie, qu'en cet instant
même et dans le bonheur où je suis, je passe du
monde d'ici-bas au monde céleste. »

surpasser :
dépasser

Galaad vient embrasser Perceval puis Bohort à
qui il dit :
« Bohort, saluez de ma part monseigneur
Lancelot, mon père, dès que vous le verrez. »
Puis il revient vers la Table, se prosterne jusqu'à
terre et tombe là, mort.

se prosterner :
s'incliner très
bas en signe
d'adoration

Ses compagnons voient alors son âme monter au ciel, conduite par des anges. Puis une main mystérieuse prend le vase et la lance et les emporte au firmament.

Galaad est inhumé dans le château, au côté de la sœur de Perceval. Celui-ci reste là à les veiller. Une année et trois jours plus tard, il rejoint dans la tombe les deux êtres qu'il a le plus aimés. Depuis lors, la quête est restée ouverte, sur le chemin de la vérité et de l'amour.

l'âme :
ce qui,
dans la religion,
survit à la mort
d'une personne

le firmament :
le ciel étoilé,
la voûte céleste

inhumé :
enterré

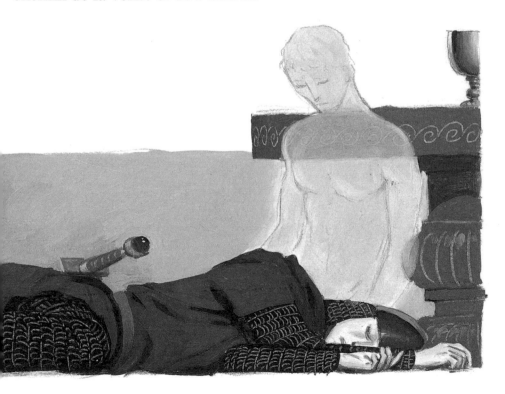

Alain Dag'Naud

Robin des Bois

Illustré par Annie-Claude Martin

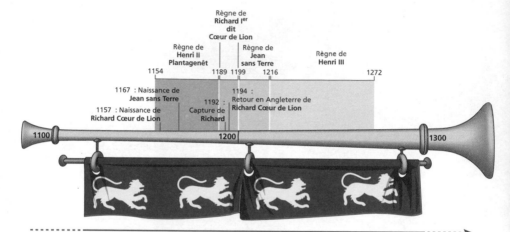

Règne de
Richard Ier
dit
Cœur de Lion

Règne de
Henri II
Plantagenêt

Règne de
Jean
sans Terre

Règne de
Henri III

1154   1189 1199   1216   1272

1167 : Naissance de
Jean sans Terre

1194 :
Retour en Angleterre de
Richard Cœur de Lion

1192 :
Capture de
Richard

1157 : Naissance de
Richard Cœur de Lion

1100   1200   1300

MOYEN ÂGE
(476 - 1492)

La chasse interdite

*L'histoire commence au début du printemps.
Le roi Richard Cœur de Lion est retenu
prisonnier par l'empereur d'Allemagne. Son
frère Jean gouverne à sa place. Il complote
pour que Richard ne revienne jamais. Mais près
de Nottingham, à environ deux cents kilomètres
au nord de Londres, en Angleterre...*

« Vois-tu, Robin, en forêt ne cours jamais. Tu
ferais fuir le gibier et les hommes du shérif de
Nottingham t'entendraient à des kilomètres à
la ronde et te tomberaient dessus sans crier gare.
– Mais père, pourquoi donc ne pouvons-nous
chasser comme le font les seigneurs ?
– Car c'est leur privilège de tuer le gibier. Ils
appellent cela un droit féodal. Nous ne
sommes que des paysans, libres mais pauvres,
écrasés par les impôts du prince Jean. Il
prétend que c'est pour payer la rançon de son

shérif :
en Angleterre,
premier magistrat
d'un comté

sans crier gare :
sans prévenir

un privilège :
un droit réservé
exclusivement
au seigneur

une rançon :
une somme
d'argent échangée
contre la libération
d'un prisonnier

73

frère le roi Richard. C'est faux, mais que faire ?

– Quand Richard Cœur de Lion reviendra, il n'y aura plus d'impôts contre les pauvres ?

– Tu as seize ans, mon cher Robin. Tu apprendras vite que les puissants en veulent toujours plus et que peu importe le roi qui nous gouverne, il y aura encore des impôts. Mais j'aime Richard parce qu'il est courageux et droit alors que Jean ne pense qu'à l'argent et au pouvoir. »

À tant parler, Robin et son père en ont oublié d'être attentifs aux bruits de la forêt qu'éclairent les premières lueurs du jour. Lorsqu'ils perçoivent les cliquetis des armes et le martèlement des sabots des chevaux, il est déjà trop tard. Les hommes du shérif sont là.

« Sauve-toi, Robin, file », lui dit son père. Robin repère vite les soldats qui surgissent de partout, il lâche son sac renfermant le lièvre qu'il a attrapé tôt ce matin, et il détale en zigzaguant entre les arbres pour semer ses poursuivants. Puis il s'enfonce dans les fourrés où il sait que les chevaux ne pourront avancer. Il marche maintenant depuis trois heures au moins. Fatigué, il s'assied sur un rocher moussu, à l'entrée d'une caverne. Alors qu'il

un cliquetis :
un bruit sec produit par l'entrechoquement d'armes

détaler :
s'enfuir

moussu :
recouvert de mousse

songe à son père qu'il a dû abandonner, il se sent épié. Il regarde autour de lui. Rien. Rien sauf des ombres furtives derrière les feuillages. Car il y a des gens par ici. Un à un, tous habillés de vert pour mieux se cacher, ils sortent des buissons. Ils sont les gueux de la forêt de Sherwood, ceux que la misère a chassés des villes.

« Je m'appelle Will Scarlett, dit un nain bossu en tendant la main à Robin. Soyez le bienvenu. »

épié : surveillé

furtif : indistinct

un gueux : au Moyen Âge, une personne très pauvre qui vit en mendiant

75

La folle équipée

« Ici vous ne craignez rien. Nous avons des guetteurs dans toute la forêt et, si des soldats s'aventurent, nous cachons toute trace de notre passage. Nous nous dissimulons dans les cavernes des environs et jusque dans les branches des arbres. »

Robin est mené sous un grand chêne où Will Scarlett et ses créatures de l'ombre lui grillent à la broche un magnifique cochon. Mais Robin est trop inquiet pour manger. Sa décision est prise, il doit au plus vite retourner à Nottingham délivrer son père. « C'est folie », lui disent ses nouveaux amis. Mais il n'en démord pas. Alors trois gueux acceptent de guider le jeune homme jusqu'à l'orée de la forêt. Ils l'y attendront jusqu'au soir pour lui permettre de retrouver son chemin jusqu'au grand chêne s'il réussit sa folle équipée. Robin se dirige vers une colline d'où il aperçoit les tours et les murailles de

ne pas en démordre : refuser de changer d'avis

l'orée : en bordure

76

Nottingham. Un peu sur la droite se dresse le gibet où gigote un pendu attaqué par les corbeaux. Demain peut-être, son père s'y balancera.

Robin court à travers champs lorsqu'au détour d'un bosquet un sergent à cheval débouche au grand galop. Pour éviter le jeune homme, la monture se cabre et renverse son cavalier qui s'assomme en tombant. L'occasion est trop belle. Robin ligote le soldat endormi. Il enfile sa cotte de mailles et son heaume qui lui recouvre la tête et le visage. Il s'empare de l'épée et saute à cheval.

En cette fin d'après-midi, la grande porte de la cité de Nottingham est ouverte pour laisser entrer les voyageurs et les marchands pieds poudreux qui ne veulent pas passer la nuit dehors en ces temps troublés. Les deux gardiens laissent passer sans question celui qu'ils prennent pour un sergent du shérif.

Robin se dirige hardiment vers le pont-levis du château, salue le garde comme une vieille connaissance en grommelant quelques paroles incompréhensibles et va vers une haute tour aux fenêtres bardées de grosses grilles cloutées. À peine a-t-il attaché sa monture qu'un sinistre individu se dirige vers lui. C'est le bourreau.

un gibet : assemblage de poteaux auxquels on pendait les condamnés à mort

un bosquet : un petit groupe d'arbres

se cabrer : se lever sur les pattes arrière

hardiment : avec audace

un bourreau : une personne chargée d'exécuter les condamnés à mort

poisseux :
crasseux

un cul-de-basse-
fosse :
un cachot

« Tu es venu emmener le prisonnier pour le conduire devant le seigneur ? Je te le laisse. Moi, je m'occuperai de le pendre demain matin. »

Robin suit le bourreau jusqu'à une porte ferrée. Il descend seul un long escalier poisseux qui le mène aux cachots. Un gardien porteur d'une torche se lève à son arrivée et lui ouvre un cul-de-basse-fosse plongé dans l'obscurité. Au fond, un homme est recroquevillé, le visage couvert de sang.

« C'est moi, père, lui chuchote Robin.

– Malheureux fils, sauve-toi. Ils m'ont crevé les yeux, je suis aveugle.

– Aveugle ou non, je te sortirai d'ici. »

Robin guide son père dans l'escalier. Une fois dans la cour, il lui attache une corde au cou pour faire croire qu'il est son prisonnier, il le hisse sur le cheval, monte derrière lui pour le tenir fermement et lance sa monture au grand galop vers la sortie.

Les gardes n'ont pas le temps de réagir. Lorsqu'ils sonnent l'alarme, Robin approche déjà de la forêt où ses amis l'attendent.

Le prince des voleurs

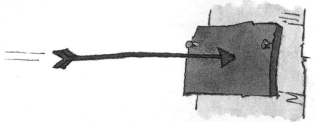

Robin est devenu un héros pour ses compagnons.

« Sois notre chef, brave Robin, lui demande Will Scarlett.

– J'accepte, mais à la condition que nous cessions de nous cacher. Levons-nous ! Que tous ceux qui savent travailler le bois coupent des flèches et fabriquent des arcs. Désormais, la forêt de Sherwood nous appartient. Quiconque la traversera, s'il est riche, devra nous verser son or. Nous en reverserons une partie aux pauvres.

– Mais nous ne savons pas tirer à l'arc. » Alors une voix grave s'élève. Celle du père de Robin.

« Bien qu'aveugle, je puis faire de vous les meilleurs archers du royaume d'Angleterre.

– Comment t'y prendras-tu ?

– Placez une cible à quelque distance et laissez-moi faire. »

On cloue alors sur un arbre une planchette de bois. L'aveugle semble se concentrer, puis avec son arc tire une flèche... qui va se planter au cœur de la cible.

« Comment est-ce possible ?

– Je vous apprendrai. Bientôt, vous saurez même tirer les yeux fermés. »

Six mois plus tard, la bande est déjà célèbre. Nombreux sont les voyageurs qui racontent comment ils ont été dévalisés sur la route de Londres à Nottingham par des voleurs de grand chemin vêtus de vert. Leur argent a été dérobé mais aucun mal ne leur a été fait. Au contraire, le chef, que l'on appelle maintenant Robin des Bois, le prince des voleurs, a été très aimable avec eux. Il leur a même offert à boire et à manger.

Les soldats du shérif ont beau mener des battues, ils arrivent toujours trop tard et ne trouvent personne. Mais l'affaire remonte aux oreilles du prince Jean qui décide d'envoyer une troupe de ses soldats.

« Que pourront nos flèches contre des armures ? Il nous faudrait un expert pour la lutte, un forgeron pour forger des épées et un maître d'armes pour nous apprendre à nous en servir », dit Will Scarlett.

au cœur :
au milieu

dérobé :
volé

mener une battue :
battre les fourrés
et les buissons
pour rechercher
quelqu'un

81

Frère Tuck

À quelque temps de là, Robin se baigne dans une rivière. Il a déposé sur la rive ses habits, son épée, son arc, ses flèches et le cor avec lequel il prévient ses compagnons en cas de danger.

un cor :
une trompe d'appel

Traversant la rivière, Robin sort de l'eau pour s'allonger sous un peuplier et s'endort. Tout à coup, il sent sur son cou le fil froid de la lame d'une épée. Il ouvre les yeux et découvre juste au-dessus de lui une grosse tête rougeaude. Le bonhomme très gros porte la robe des moines. Il a déposé près de lui un sac apparemment bien lourd.

le fil :
le tranchant

« Je cherche Robin des Bois. Savez-vous où il se cache ?

– Que lui voulez-vous ?

– Ça ne vous regarde pas. Menez-moi à lui si vous le connaissez.

– Traversez cette rivière, et s'il veut vous rencontrer, c'est lui qui viendra à vous.

– Allons, mon garçon. Vous êtes bien impertinent mais robuste à cc que je vois. Vous allez me porter sur votre dos. Et attention. J'ai horreur d'avoir les pieds mouillés. »

impertinent : insolent

Aussitôt dit, aussitôt fait !

« Ce moine et son bagage doivent bien peser une tonne », pense Robin.

Celui-ci s'engage en titubant dans le courant. Le moine joyeux, du plat de son épée, lui frappe le derrière pour le faire avancer.

Arrivé de l'autre côté, Robin s'écroule dans l'herbe, tout près des affaires qu'il avait laissées. Pendant que le moine rit aux éclats, Robin s'empare de son épée, bondit et désarme le moine.

« À nous deux. Vous vous êtes moqué de moi, eh bien à vous de me faire traverser la rivière. » Le moine porte alors Robin comme s'il n'était que plume. Mais il fait halte en plein milieu de la rivière, se penche brusquement et envoie son passager cul par-dessus tête.

Vexé, Robin regagne la rive, prêt à en découdre avcc le moine. Un duel s'engage. Mais tout sourire, le moine pare les assauts de Robin avec une étonnante facilitć. Rapidement, ce dernier doit s'avouer vaincu.

en découdre : se battre

« Tu es courageux, c'est bien. Maintenant, dis-moi où est Robin, demande le moine.

– Ne le cherchez plus. Il est devant vous.

– Vous ? Robin des Bois ? Je vous pensais meilleur au combat.

– Je me bats mieux avec l'arc et les flèches.

– Eh bien je vous donnerai quelques leçons, ainsi qu'à vos compagnons. En attendant, je vous apporte dans mon sac plein d'objets d'or et d'argent, tout le trésor de mon abbaye. Je l'ai dérobé quand le prince Jean, graine d'enfer, m'en a chassé pour avoir dit tout haut que Robin était un enfant de Dieu parce qu'il aidait les pauvres. »

Robin ramasse son cor et en sonne trois fois, signal d'appel pour ses compagnons qui ne tardent pas à surgir. La petite troupe regagne son repaire secret au cœur de la forêt de Sherwood.

« Soyez le bienvenu parmi nous, mon père. Comment vous appelez-vous ?

– Mes amis me nomment frère Tuck.

– Nous bâtirons pour vous une chapelle contre cette caverne.

– Fort bien. Je vous dirai la messe tous les dimanches. En semaine, je vous instruirai du bon usage de l'épée.

Much

Sur une colline, en lisière de la forêt, il y a un beau moulin qui produit la meilleure farine de la région. Il est tenu par un meunier et son fils Much, magnifique géant connu pour sa force prodigieuse. Un beau matin, un de nos guetteurs voit s'élever une fumée du côté du moulin. Il craint un incendie et souffle dans sa corne. Robin et ses compagnons accourent. Lorsqu'ils arrivent près du moulin, ils ne trouvent plus qu'un amas de ruines fumantes près duquel pleure un jeune homme.

en lisière : en bordure

un amas : un tas

« Ils ont tué mon père !

– Que s'est-il passé ? demande Robin.

– Ils ont tué mon père et je n'ai rien pu faire pour le défendre.

– Qui ça, ils ?

– Les hommes du shérif de Nottingham. Quand six soldats à cheval et en armure sont arrivés, j'étais derrière un fourré à poser un piège pour les lapins. Je me suis caché car c'est interdit. Je les ai entendus dire à mon père que puisqu'il avait plusieurs fois refusé de livrer gratuitement son blé au château, il savait ce qu'il lui en coûterait. Avant que j'aie compris ce qu'ils voulaient faire, ils l'ont poussé dans le moulin, ils ont barricadé la porte et ils y ont mis le feu. J'entendais mon père qui hurlait. La fumée est devenue âcre, puis plus de cris. Je ne comprends pas pourquoi je n'ai pas réagi, moi, l'homme le plus fort de la région. Mais ils étaient six et j'étais comme paralysé. Ils sont partis en riant et je suis resté là.

âcre :
piquant et
irrespirable

– Allons, mon fils, dit le frère Tuck, tu n'y pouvais rien. Plutôt que de pleurer, viens avec nous. Je t'ai vu dominer tes adversaires à la foire de Nottingham. Tu connais les meilleures prises et les techniques de la lutte. Tu nous seras utile. »

Much se tourne vers Robin :

« Tu es Robin, n'est-ce pas ? Alors je te suivrai. »

Et ils sont devenus les meilleurs amis du monde.

Petit Jean

Les hommes de Robin savent merveilleusement tirer à l'arc grâce au père de Robin. Ils connaissent toutes les techniques de la lutte au corps à corps grâce à Much. Ils peuvent écarter la lame d'un adversaire et pointer grâce aux leçons de frère Tuck. Mais les épées des bannis sont vieilles et rouillées. Il faudrait un forgeron qui sache travailler l'acier, créer des lames fines et solides. Robin y réfléchit chaque jour.

pointer : menacer l'adversaire de la pointe de l'épée

un banni : une personne exilée, obligée de se cacher

Un matin, alors qu'il pêche dans la rivière avec ses inséparables Much et Tuck, voilà qu'apparaît sur l'autre rive un gaillard joyeux à la chevelure rousse qui s'apprête à traverser le pont de rondins.

un rondin : un petit tronc utilisé pour la construction de maisons ou de ponts

« La pêche est bonne ? demande-t-il.
– Juste une grosse truite.
– Faites-la griller, j'arrive.
– Mais il faut la mériter, lui répond Tuck.
– En quoi faisant ?
– Que diriez-vous d'un combat à la loyale ?

à la loyale : d'égal à égal

un gourdin :
un gros bâton
utilisé pour
se battre

des billes de bois :
des troncs d'arbre
débarrassés de
leurs branches

Vous avec votre gros bâton de voyageur, moi avec ce long gourdin ? »

Le grand roux et le gros moine se retrouvent donc en équilibre sur les billes de bois au milieu du courant. Tuck est persuadé l'emporter sans problème, mais dès qu'il veut frapper, son gourdin est dévié par le bâton de l'inconnu. À la fin, ce dernier parvient à faire voltiger dans l'eau le gourdin de frère Tuck. L'étranger n'a plus qu'à planter son bâton dans le gros ventre du moine, à le pousser et à le faire tomber dans la rivière.

Robin et Much rient de bon cœur. Tuck aussi, qui reconnaît avoir trouvé son maître.

« Qui êtes-vous, étranger ?

– Je reviens d'Orient où j'ai combattu aux côtés du glorieux roi Richard. J'étais même son armurier, celui qui fabriquait et réparait ses armes les plus belles. Lorsque le roi est reparti, j'ai embarqué sur un navire pour l'Angleterre. Quelle tristesse : je n'y trouve que misère et injustices. Si je parle du roi Richard, on me prie de me taire par peur des espions. J'ai entendu parler d'une bande de braves qui luttent contre le prince Jean. Je les cherche pour me joindre à eux.

– C'est Dieu qui vous envoie, mon ami. Je suis Robin des Bois. Nous avons besoin d'un homme comme vous pour forger de belles épées, de solides poignards et des boucliers pour nous protéger. Comment vous nommez-vous ?

forger :
mettre en forme une pièce de métal en la chauffant à blanc

– Le roi m'appelait par amitié Petit Jean. Tel sera mon nom pour vous aussi.

– Et vive le roi Richard ! » s'écrient-ils tous en chœur.

en chœur :
ensemble

Quelques mois plus tard, les bannis de Robin sont devenus une armée organisée, redoutée de tous les riches seigneurs et marchands qui traversent la forêt de Sherwood pour se rendre à Londres.

redouté :
craint

89

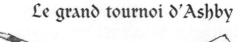

un tournoi :
au Moyen Âge, fête
pendant laquelle
les chevaliers
s'affrontaient

Le grand tournoi d'Ashby

Le prince Jean décide de venir lui-même dans la région pour combattre Robin avec une troupe de huit cents hommes solidement armés. Pour marquer sa venue, il fait annoncer la tenue d'un grand tournoi près de la cité d'Ashby.

À l'aube de ce jour, une foule considérable se presse déjà dans la vaste prairie autour de l'espace rectangulaire où doivent se dérouler les combats. Y sont attendus les meilleurs chevaliers d'Angleterre. Le côté sud est occupé par les cinq tentes magnifiques des partisans du prince Jean. La plus grande est celle du fameux Brian de Bois-Guilbert, le plus redoutable guerrier du royaume. À l'autre extrémité, vers le nord, se dressent les tentes des partisans du roi Richard.

une arène :
une piste sablée
où se déroulent
les combats

une galerie :
une estrade qui
domine les autres

Autour de l'arène ont été édifiées des estrades pour la noblesse et les riches bourgeois. Une galerie richement ornée porte un trône surmonté des armes d'Angleterre. Elle est destinée au prince Jean et à sa suite. Le petit peuple doit se contenter des collines avoisinantes. Mais il ne perdra rien du spectacle.

Voici que sonnent les trompettes et que paraît le prince Jean, vêtu d'un habit de soie rouge brodé d'or, la tête couverte d'un bonnet de fourrure orné de pierreries. Il descend de son cheval gris et prend place sur le trône. Puis il ordonne à son héraut de proclamer les cinq règles du tournoi :

un héraut :
au Moyen Âge, personne chargée d'annoncer les nouvelles importantes

1 Cinq chevaliers partisans du prince Jean se battront contre quiconque les défiera.

2 L'assaillant choisira son adversaire en touchant son bouclier. S'il le touche avec le bois de sa lance, la pique sera protégée d'un morceau de bois pour éviter de blesser. S'il toque le bouclier avec le fer de la lance, le combat sera à mort.

3 Le vainqueur recevra un magnifique cheval tout harnaché et désignera la reine du tournoi.

tout harnaché :
complètement équipé

4 Le second jour aura lieu un combat général entre deux troupes égales de chevaliers.

5 La troisième épreuve verra s'affronter les meilleurs archers du royaume.

une lice :
l'endroit où
se déroulent
les combats

un écu :
un bouclier

Les barrières s'ouvrent et cinq chevaliers se présentent, traversent la lice et vont frapper du bois de leur lance les écus des tenants du prince Jean. Ils rejoignent ensuite l'autre extrémité de l'arène.

Au son des trompettes, les chevaux s'élancent au grand galop. Au premier choc, Brian de Bois-Guilbert et ses amis désarçonnent leurs adversaires. Cinq autres assaillants se présentent. Eux aussi sont battus. Au troisième tour, seuls deux chevaliers osent se lancer, mais ils sont renversés.

Le prince Jean s'apprête à désigner Bois-Guilbert, chef des tenants, vainqueur de l'épreuve. Une trompette de défi retentit. Tous les yeux se tournent vers la barrière d'entrée. Apparaît un chevalier portant un bouclier où est gravé un nom : « LE DÉSHÉRITÉ ».

la stupeur :
un vif étonnement

À la stupeur générale, il va frapper le bouclier de Bois-Guilbert avec le fer de sa lance. Au signal, les deux chevaliers s'élancent l'un vers l'autre. Leurs lances volent en éclat, les chevaux se heurtent dans un bruit de tonnerre. Mais les cavaliers restent en selle.

parer :
esquiver un coup

Ils repartent à chaque extrémité de la lice puis se précipitent. Le chevalier Déshérité dirige sa lance vers le casque de Bois-Guilbert qui pare mais tombe dans la poussière.

L'inconnu est proclamé vainqueur de la journée. Il est mené devant le prince Jean. Mais il refuse d'ôter son casque ou de lever sa visière. Il reçoit le magnifique destrier qui lui revient :
« Chevalier Déshérité, lui dit le prince Jean, c'est à vous maintenant de désigner la reine de beauté qui présidera la fête de demain. »
L'inconnu prend la couronne de laurier d'or et va la déposer aux pieds de Rowena, fille de Cédric le Saxon, un seigneur ami de Richard Cœur de Lion.

proclamé : déclaré

un destrier : un cheval de bataille

93

Le deuxième jour

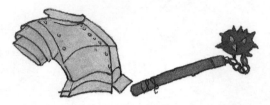

radieux :
lumineux

Le lendemain, le soleil se lève, radieux. Il y a là deux troupes de vingt-cinq chevaliers : l'une sous la bannière de Brian de Bois-Guilbert, l'autre sous le commandement du chevalier Déshérité. Le prince Jean et sa suite arrivent à dix heures. Lady Rowena occupe la place d'honneur. Une fanfare éclatante retentit. « Laissez aller », crie un héraut.

Aussitôt les chevaliers aux armures de fer s'élancent et se heurtent dans un tonnerre épouvantable. Quand le nuage de poussière est dissipé, les spectateurs voient que la moitié des combattants gît au sol, hors de combat. On les emporte pendant que les autres gagnent les extrémités de la lice. Ils repartent au grand galop.

dissipé :
qui a disparu
gît :
étendu au sol
(verbe *gésir*)

Bientôt, il n'y a plus en selle que trois tenants du prince Jean et le Déshérité. Il va succomber sous leur assaut conjugué lorsqu'un chevalier revêtu d'une armure noire et monté sur un cheval noir surgit dans la lice en criant : « Déshérité ! À la rescousse ! »

succomber :
être battu

Il assomme deux des assaillants d'un coup de sa masse d'armes, puis il sort tranquillement de l'arène. Le Déshérité peut se battre à la loyale avec Brian de Bois-Guilbert et le renverser. Alors le prince Jean jette son bâton de commandement entre les combattants, ce qui met fin à l'affrontement.

Aux applaudissements de la foule, le Déshérité est proclamé champion. Lady Rowena descend de son trône pour lui remettre la couronne. Mais le chevalier inconnu est blessé. Une pointe de lance a traversé sa cuirasse et s'est fichée dans son épaule. Lady Rowena l'aide à s'étendre, lui soulève la visière et reconnaît son jeune frère Ivanhoé, devenu hors-la-loi depuis qu'il s'est engagé dans la lutte contre le prince Jean. Elle garde un moment le silence, puis s'écrie : « Je te donne cette couronne, sire chevalier, en récompense de ta valeur. Jamais couronne de chevalier ne fut placée sur un front plus digne. »

Puis elle appelle deux serviteurs qui emmènent le jeune homme pour être soigné.

Le meilleur des archers

Le héraut annonce que l'épreuve du tir à l'arc va commencer. Le vainqueur recevra un cor de chasse en argent. Huit archers se présentent. Parmi eux, un beau gaillard tout habillé de vert.
« Quel est ton nom ? lui demande Jean.
– Locksley, votre Grâce.
– Ton habit vert ne me plaît pas. Il me fait penser à la tenue de ces rebelles menés par le nommé Robin des Bois. Voyons quand même ce que tu sais faire. »
La cible est placée au bout de la lice. Chacun des huit archers aura droit de tirer trois flèches. Le jeu commence mais la cible est si loin que deux archers seulement l'atteignent en son centre : un garde-chasse nommé Hubert et Locksley.
« Il vous reste à vous mesurer l'un à l'autre, annonce le prince Jean. Faites reculer la cible au-delà de la palissade. »
Hubert tire le premier. Sa flèche va se ficher dans le cercle, mais assez loin du centre.

un rebelle :
une personne qui ne se soumet pas à l'autorité dont elle dépend

96

Locksley décoche son trait dont la pointe s'enfonce plus près du cœur de la cible.

un trait : une flèche

C'est maintenant la seconde flèche d'Hubert. Il vise… et touche plein centre.

« Je te défie de faire mieux », se moque le prince Jean.

Locksley prend tout son temps. Sa flèche traverse l'air comme un éclair et va fendre en son milieu la flèche d'Hubert.

Le prince Jean se lève.

« Je te proclame vainqueur, Locksley. Voici une bourse de pièces d'or. Et je te propose de t'engager dans mon corps de garde.

– Je vous remercie, mais j'ai juré de ne servir que votre frère, le roi Richard. Je laisse cet argent à Hubert qui en a grand besoin. »

Locksley saute sur un cheval et crie :

« Quant à moi, je m'en retourne dans la forêt de Sherwood. Car je suis Robin des Bois et je vous salue bien. »

Avant que le prince Jean ait eu le temps de réagir, Robin a disparu pour le plus grand bonheur de la foule des petites gens qui l'acclame. Fou de rage d'avoir été humilié en public, le prince Jean se lève et part.

L'embuscade

une litière :
un brancard

Mais les espions du prince ont suivi la litière sur laquelle était transporté Ivanhoé blessé. Seuls le seigneur Cédric, Rowena et trois serviteurs l'accompagnaient. À un moment propice, les hommes de Jean sont passés à l'attaque. Deux serviteurs ont été tués. Les autres ont été conduits à la forteresse de Torquilstone pour y être interrogés.

propice :
favorable

une embuscade :
un piège tendu pour surprendre l'ennemi

Grâce à ses informateurs, Robin apprend l'embuscade dès son retour à Sherwood. Il réunit tous ses compagnons sous le grand chêne.

« Que deux d'entre vous partent pour Torquilstone et s'efforcent de savoir combien il y a de soldats dans la garnison. Vous autres, rassemblez tous ceux qui sont du côté du roi Richard contre le prince Jean et rendez-vous ici demain matin à la pointe du jour. Nous attaquerons dès que possible. »

la pointe du jour :
l'aube

Robin s'étonne soudain :
« Mais où est donc frère Tuck ?

98

– Il est avec un nouvel ami, un curieux chevalier noir qu'il a rencontré alors que celui-ci était perdu en forêt. »

Robin va frapper à la porte de la chapelle.

« Puisque frère Tuck vous a accepté parmi nous, vous êtes le bienvenu. D'autant que nous avons vu votre courage pour soutenir le seigneur Ivanhoé. Êtes-vous prêt à vous joindre à nous pour le délivrer ?

– Je vous suis. »

À l'assaut

Le lendemain à l'aube, des centaines d'hommes se mettent en marche derrière Robin. Cependant, lorsque l'énorme donjon et les tours de Torquilstone apparaissent, c'est le mystérieux chevalier noir qui prend la tête des opérations. Car nul mieux que lui ne connaît l'art du siège et des batailles.

un donjon :
la plus haute tour d'un château qui servait de dernier refuge en cas d'attaque

un siège :
une opération militaire destinée à s'emparer d'une ville

Il indique aux archers les meurtrières et les créneaux sur lesquels il leur faudra tirer quand l'assaut commencera. Aux hommes trop âgés pour se battre, il demande de couper un gros tronc d'arbre qui servira de bélier pour enfoncer la porte. Puis il fait assembler des planches de bois qui serviront de toit mobile sous lequel s'abriteront les assaillants.
Les femmes aussi participent. Elles amassent des pierres qui rempliront les fossés. Il sera alors possible d'installer les hautes échelles fabriquées à la hâte pour grimper jusqu'au sommet de la muraille.

Tout est prêt. Au son du cor, l'offensive est lancée. Un pont de bois est jeté en travers de la douve pour remplacer le pont-levis relevé et faire passer le bélier. Mais dès que les hommes de Robin approchent de la muraille, une pluie de flèches les accueille, du plomb fondu et de l'huile bouillante tombe du chemin de ronde, des chausse-trapes à pointes de fer se plantent dans les pieds des combattants.

Mais où est le chevalier noir ? Profitant de la diversion des combats qui font rage du côté nord du château, il a mené en secret un petit groupe armé de pelles et de piques au pied de la tour sud. Solidement fichée sur un roc, celle-ci passe pour imprenable et n'est donc pas gardée. Les solides gaillards qui accompagnent le chevalier noir creusent une profonde galerie sous la muraille. Ils y entassent du bois mort et y mettent le feu. Sous l'effet de la chaleur, la pierre se fend et le mur s'écroule sur toute sa hauteur.

Au signal donné par le cor, les assaillants font tous mouvement dc ce côté et s'engouffrent dans la brèche derrière le chevalier noir et Robin. À coups de hache et d'épée, ils ont tôt fait de se rendre maîtres du château fort. Ivanhoé, son père et sa sœur sont libérés.

une offensive : une attaque

une douve : un fossé empli d'eau entourant le mur d'enceinte d'un château

une chausse-trape : un piège camouflé dans le sol

s'engouffrer : pénétrer en grand nombre

une brèche : une trouée dans les remparts

« Je suis Richard »

De retour au grand chêne de la forêt de Sherwood, les blessés sont soignés. Puis l'on organise un grand festin.

« Chevalier noir, vous nous avez menés à la victoire. Mais nous ne savons qui remercier. Allez-vous nous dire votre nom ? demande Robin.

– Tu es un cœur noble, cher Robin, et j'ai vu ta droiture. Je devais rester solitaire et caché pour éviter les tueurs lancés à ma recherche par mon frère. Je reviens des pays lointains d'Orient et d'une longue captivité. Ma mère Aliénor a versé ma rançon pour me libérer. Je suis votre roi. Je suis Richard, souverain d'Angleterre. »

À ces mots, tous les assistants s'agenouillent.

« Relevez-vous, mes amis, dit Richard, et vous surtout Robin, roi des hors-la-loi, prince des bons compagnons.

– Mais nous avons volé, y compris les collecteurs des impôts.

– Je vous pardonne car vous avez agi pour le bien de mon peuple.

un festin :
un grand repas donné à l'occasion d'une fête

des pays lointains d'Orient :
Richard Cœur de lion revient d'une croisade

une captivité :
un emprisonnement

102

103

Toute la forêt de Sherwood retentit alors d'un immense :
« Vive le roi Richard !
– Allez-vous rester quelque temps parmi nous ? interroge Robin.
– Je devais attendre que mes seigneurs fidèles aient le temps de réunir une troupe nombreuse de cavaliers pour chasser les traîtres et soumettre mon frère Jean. C'est désormais le cas. Je retourne donc à Londres. J'irai ensuite dans mes terres de France où le roi Philippe Auguste me donne du fil à retordre. Robin, Petit Jean, Much et vous, frère Tuck, j'aimerais vous compter parmi mes officiers. Acceptez-vous de me suivre ?
– Nous vous conduirons sur la route de Londres. Mais la vie à la cour ne nous conviendra pas, car nous aimons notre liberté.
– Qu'il en soit ainsi mes amis. Je veillerai à ce que vos biens injustement pris par le shérif vous soient rendus. Vous recevrez chacun une somme d'argent qui vous permettra de reconstruire vos maisons et de vivre heureux. Vous êtes maintenant des hommes libres. À bientôt. QUE DIEU VOUS GARDE ! »

donner du fil à retordre : créer des difficultés

Alain Dag'Naud

Paris au Moyen Âge

Illustré par Pascale Boutry

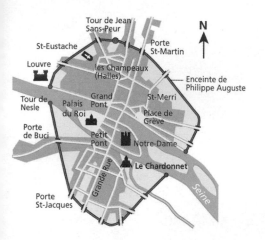

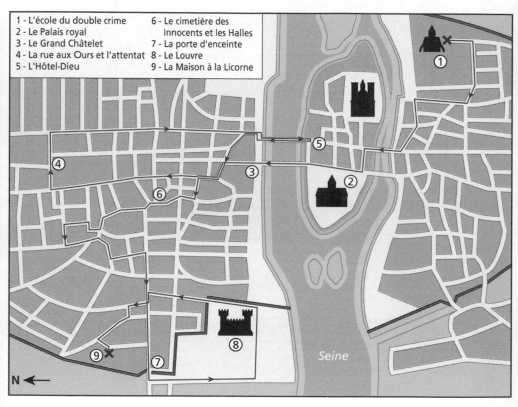

1 - L'école du double crime
2 - Le Palais royal
3 - Le Grand Châtelet
4 - La rue aux Ours et l'attentat
5 - L'Hôtel-Dieu
6 - Le cimetière des Innocents et les Halles
7 - La porte d'enceinte
8 - Le Louvre
9 - La Maison à la Licorne

Le crime de la bibliothèque

La cave voûtée est sans fenêtres, à peine éclairée par trois torches. Dans cette bibliothèque secrète de l'école Saint-Jean sur la place Maubert à Paris, deux moines contemplent un livre. Et pas n'importe quel livre.

Il raconte les aventures des chevaliers de la Table ronde partis en quête du Saint-Graal. Les phrases ont été tracées minutieusement à l'encre noire par des copistes qui y ont travaillé des années. De place en place, des enluminures forment de magnifiques tableaux rehaussés d'or. On y voit la cour du roi Artus, Galaad qui extrait l'épée Excalibur de sa roche, les chevauchées de Perceval et de Lancelot, la victoire du chevalier parfait. En tête de chaque paragraphe, de magnifiques lettrines représentent des feuilles, des fleurs et des animaux.

Les moines referment le précieux manuscrit à la couverture de cuir incrustée de pierreries, émeraudes et rubis. Puis l'un d'eux se dirige vers une armoire aux lourdes portes de bronze.

la place Maubert : place située actuellement dans le Ve arrondissement de Paris

le Saint-Graal : Selon la légende, la coupe du Graal aurait été taillée par des anges dans une émeraude

minutieusement : avec soin

un copiste : un moine chargé de recopier les manuscrits

une enluminure : une illustration peinte à la main

rehaussé : mis en valeur par

une lettrine : une lettre majuscule placée en début de page richement ornée

Il passe la main dans la gueule de l'impressionnante tête de chien qui sert de serrure. Il en manipule prudemment le mécanisme car à la moindre fausse manœuvre, la mâchoire se refermerait et emprisonnerait sa main. La porte s'ouvre. Au moment où l'autre moine s'apprête à déposer le livre inestimable, une ombre surgit, une lame scintille. Les moines n'ont pas même le temps d'appeler à l'aide. L'un est percé au cœur, l'autre au milieu du front.

inestimable :
unique, sans prix

À la lumière d'une minuscule lampe à huile, le meurtrier remonte prestement un escalier de pierre, le précieux manuscrit caché sous sa cape. Arrivé en haut, il actionne un levier fiché dans le mur, le tourne une fois à droite, une fois à gauche et le descend. Une porte s'ouvre. Elle donne sur la salle capitulaire, juste derrière le fauteuil du père abbé. Il est dix heures du matin. L'assassin sait le lieu désert. Il rabaisse sur son front une longue capuche qui lui dissimule le visage. Traversant la salle en quelques rapides enjambées, il débouche dans le cloître. Quoi de plus facile ensuite que de gagner les salles d'étude au premier étage…

la salle capitulaire :
le lieu où se réunissent les religieux pour prendre des décisions

le cloître :
la cour centrale d'une abbaye entourée d'une galerie couverte

Les deux témoins

Le meurtrier arrive sur le palier lorsqu'il est bousculé par deux enfants qui descendent les marches quatre à quatre. Il laisse échapper le manuscrit, mais le ramasse aussitôt sans un mot et file. Les enfants ont à peine eu le temps de voir deux yeux au froid d'acier les dévisager en un éclair.

« Pourquoi ne nous a-t-il fait aucun reproche ? Nous ne devrions pas être ici à cette heure, surtout moi, une fille, dans cette école.

– Tu as raison, Margot. As-tu vu ? De sa robe dépassait la pointe de la lame d'une épée.

– Curieux pour un religieux. Blandin, si on le suivait ? »

un religieux : un membre de l'Église

Blandin et Margot font demi-tour, à la recherche de l'inconnu. Ils le retrouvent au moment où l'individu, qui a ôté sa cape, enjambe une fenêtre. L'inconnu, vêtu comme un seigneur, saute sur un cheval que gardait un complice. Il galope déjà vers la Seine, mais se retourne pour fixer en un instant ses poursuivants.

un complice : une personne qui en aide une autre à commettre une mauvaise action

Dans le cloître, des voix et des cris s'élèvent.
« Cachons-nous, dit Blandin.

– Allons plutôt voir, réplique Margot. Tout ceci n'est pas normal. »

une galerie :
un passage couvert

Les deux jeunes gens longent la galerie du cloître et arrivent à l'entrée de la salle capitulaire. Des moines courent en tous sens. Le père abbé et deux maîtres en habit de moine sortent par la porte secrète.

« Frère Albert et frère Antonin ont été assassinés. Le plus précieux de nos livres a été volé.

– Nous avons vu le meurtrier ! ne peut s'empêcher de s'écrier Margot.

– Mais que faites-vous ici, mes enfants ? Toi jeune homme, je te reconnais, tu es Blandin, l'un de nos meilleurs étudiants.

– Oui. Et voici Margot, mon amie. Elle est l'une des jeunes filles que vous avez autorisées à suivre les cours de votre école.

– Je vous reconnais effectivement, Margot. Vos maîtres vous disent excellente en latin et en philosophie. Mais aujourd'hui, un drame a eu lieu. Et vous dites avoir vu le meurtrier. Venez dans mon bureau. Et vous aussi, maître Mardockam, directeur des études. »

Premiers indices

« Mes enfants, pouvez-vous me décrire celui que vous croyez être le meurtrier ?
– Il était grand et maigre. Il portait des bottes de cuir élégantes. Ses mains étaient recouvertes de gants en peau de bête, peut-être du chien ou du chat. Il a laissé tomber un ouvrage qu'il a repris aussitôt. Ah oui, j'oubliais : lorsqu'il s'est mis à galoper, j'ai vu qu'il portait à sa ceinture une grosse bourse.
– Merci, Blandin. Ces vêtements et cette aumônière bien pleine font penser à un homme riche. Un grand bourgeois ? Je ne pense pas, car notre homme est un guerrier. Peut-être un seigneur. Mais pourquoi ? »

une aumônière : une bourse accrochée à la ceinture

Margot prend la parole :
« Il portait aussi un bonnet de velours bleu !
– Voilà en effet qui est important. Car c'est au chapeau souvent que l'on distingue les gens. Il s'agit bien d'un seigneur de haut rang.
– À son doigt brillait un bijou », ajoute Blandin.
Le vieux Mardockam toussote. C'est un vieux sage à la barbe blanche et au regard plein de bonté et d'intelligence. Il occupe la fonction de « régent », c'est-à-dire de directeur des études. Il donne aussi des leçons aux étudiants. On se presse tant à ses cours qu'il doit parfois sortir enseigner dehors, sur une estrade.

« Je crains pour vous, mes enfants, dit Mardockam. Vous avez vu le criminel mais lui saura bien vous reconnaître et il voudra supprimer des témoins gênants. J'ajoute que s'il s'agit d'un seigneur, il peut envoyer ici même un tueur déguisé en moine. »

Le père abbé prend la parole :
« Cher maître, je vous ai demandé d'être parmi nous parce que je connais votre perspicacité. Que devons-nous faire ? Faut-il appeler les sergents du roi Philippe ?
– Non, et pour une raison que Blandin et Margot sont maintenant en droit de connaître. Nous avons une bibliothèque importante, plus de trois cents ouvrages, juste à côté des salles d'étude. Mais le livre qui a été dérobé fait partie de notre fonds secret. Nul n'en connaît l'existence hormis le père abbé, moi-même et notre intendant Hippocras. Ce manuscrit raconte les aventures des chevaliers de la Table ronde. Mais il présente une particularité. Dans la couverture est cousue une lettre manuscrite à l'écriture mystérieuse. On ne peut la déchiffrer qu'en transparence, en plaçant derrière la lettre une bougie allumée.
– Et que dit cette lettre ? demandent en chœur les deux jeunes gens.

la perspicacité :
la clairvoyance

dérobé :
volé
le fonds :
les livres possédés par l'école
hormis :
sauf
l'intendant :
le moine chargé de la gestion matérielle de l'école

– Elle contient une recette maléfique pour dominer les hommes.

maléfique :
diabolique

– Pourquoi cette lettre est-elle cachée dans un livre sur la recherche du Graal ?

– Lorsque nous avons découvert le parchemin, il y a deux ans, dans un vieux grimoire de sorcellerie, nous avons pensé le cacher dans le livre du Graal. Nul n'irait le chercher dans un ouvrage comme celui-ci, précise l'abbé.

un parchemin :
un texte écrit sur une peau d'animal

un grimoire :
un livre de magie

– Maintenant, si le voleur met en œuvre les techniques de la domination et du pouvoir qui y sont présentées, il est à craindre que de grands malheurs ne surviennent.

– Quelle est donc cette recette du pouvoir sur les hommes, maître Mardockam ?

– Je ne peux vous en dire plus. »

« Récapitulons, dit le père abbé, le criminel est un seigneur sans doute riche et puissant, qui veut détenir encore plus de pouvoir. Il connaissait l'existence de cette lettre. Comment et par qui ? Il va chercher à éliminer Blandin et Margot. Il faut donc le retrouver avant qu'il n'arrive à ses fins. »

récapituler :
résumer

éliminer :
tuer

Un moine toque à la porte.

« Nous venons de trouver frère Hippocras étranglé dans sa cellule.

toquer :
frapper

impénitent :
incorrigible

divulguer :
révéler

un féodal :
un seigneur
possesseur d'un fief

débusquer :
faire sortir de
son refuge

un confident :
une personne à qui
l'on se confie

– Je le craignais. Frère Hippocras était un bavard impénitent et porté sur la boisson. Il aura divulgué à quelqu'un le secret de la lettre et le moyen d'ouvrir la porte secrète. Pour éviter que nous ne remontions cette piste, l'assassin l'aura éliminé.

– Le temps presse maintenant. Monsieur l'abbé, la meilleure solution est que je sorte en ville avec Blandin et Margot à la recherche du seigneur au chapeau bleu. S'il veut tant le pouvoir, c'est qu'il est proche de la cour. Les riches demeures de ces grands féodaux ne sont pas si nombreuses dans Paris. Il y a une chance de le trouver et de le débusquer.

– Vous avez raison, maître Mardockam. Je vous écris une lettre pour mon ami, le frère Guérin. Il est le conseiller et le plus proche confident de Philippe notre souverain. Si vous découvrez le criminel ou si vous êtes en danger, demandez-lui audience. Il réside au nouveau château royal du Louvre. Montrez-lui ce courrier. Il vous recevra et vous apportera son aide. Allez ! Et que Dieu vous garde ! »

Par les rues de Paris

Le vieux maître et les deux élèves sortent par une porte dérobée sur l'arrière de l'école. La ruelle obscure, où court un ruisselet malodorant, débouche sur une voie large mais boueuse. D'un côté, se dressent des maisons à colombages, de l'autre, un terrain clos de murs délimite une vigne :

« Il s'agit du Clos Maubert, mes enfants. Il y a beaucoup de vignes à Paris. Ici, le vin est un peu aigrelet. On trouve le meilleur de l'autre côté de la Seine, sur la butte Montmartre. Il est si bon qu'on lui donne le nom de Goutte d'or.

– Je sais, j'en ai bu, s'écrie Blandin qui aurait mieux fait de tenir sa langue.

– Les étudiants d'aujourd'hui boivent trop et trop jeunes, réplique le vieux maître, ils fréquentent plus les tavernes que les cours et passent leur temps à se battre au pré aux Clercs, près de l'abbaye Saint-Germain-des-Prés. Je sais heureusement que ce n'est pas ton cas. »

Nos trois amis évitent quelques cochons qui déambulent en grognant. Ils parviennent rapidement sur les bords de la Seine d'où ils découvrent l'impressionnant chantier de la cathédrale Notre-Dame en construction. L'édifice n'est pas achevé mais il promet déjà d'être magnifique.

malodorant : qui sent mauvais

à colombages : des poutres de bois entre lesquelles on plaçait du torchis, des pierres ou des briques

un clos : terrain fermé planté de vignes

une taverne : une maison où l'on servait à boire aux clients

la cathédrale Notre-Dame : cathédrale située sur l'île de la Cité au centre de Paris. Elle fut commencée en 1163 et terminée dans les années 1250.

115

vigilant :
attentif

« Nous allons passer le Petit Pont bordé de maisons de bois. Soyez vigilants. Des espions peuvent y avoir été postés par l'assassin et un coup de couteau est vite donné au milieu de tous ces chariots et de cette foule de passants. »

La traversée s'effectue sans problème.

« Nous allons prendre sur la gauche pour nous rendre au palais royal de l'île de la Cité. Le roi y réside le plus souvent. On peut y entrer sans trop de problème. Observez bien les seigneurs que vous y verrez. »

Ils pénètrent dans la cour à peine surveillée par quelques gardes. Il y a là des seigneurs et leur suite, de riches bourgeois vêtus de somptueuses robes de velours rouge et vert et de fourrures malgré le temps très doux de cette fin de printemps. Il y a aussi des vendeurs de petits pâtés et autres marchandises. Mais nulle trace du meurtrier.

L'embuscade

« Il est midi. Vous devez mourir de faim les enfants. Je connais une bonne taverne, dit le maître, rue aux Oues, sur la rive nord. On y mange d'excellentes oies rôties à la broche. Cela vous tente ? »

Ils sortent du palais d'un pas soudain joyeux et passent le pont au Change où des marchands de diverses nationalités échangent des pièces de monnaie.

« Vous avez vu ? s'étonne Margot. Des marchands croquent les pièces !

– Ils vérifient qu'elles sont bien d'or ou d'argent et donc dures sous la dent. »

En contrebas du pont, des barques déchargent à même la rive des tonneaux de sel, des harengs, du bois ou du blé.

Les deux jeunes et leur maître arrivent au pied d'une énorme forteresse.

« C'est le grand Châtelet. La plus redoutable des prisons de la ville. J'espère que notre assassin y croupira bientôt. »

Ils observent les guetteurs au sommet des tours, puis ils reprennent leur chemin par le grand axe nord-sud. Philippe Auguste l'a fait paver et l'on y circule facilement. De chaque côté, il y a des échoppes d'artisans. D'abord ce sont des étals de boulangers et de bouchers, puis les fabricants

une embuscade : un piège tendu pour surprendre un ennemi

rue aux Oues : rue aux Oies. Cette rue est devenue la rue aux Ours.

croupir : rester longtemps au même endroit

une échoppe : une boutique

un étal : une planche posée sur des tréteaux sur lesquels on présentait la marchandise à vendre.

de couteaux, les verriers, les ferronniers.
Blandin et Margot aimeraient s'arrêter partout.
Mais l'heure avance. Enfin, les voilà arrivés
dans l'étroite rue aux Oues.

« Pâtés de pigeons, poissons tout frais pêchés
dans la Seine, jambons tirés des porcs de
l'abbaye Saint-Antoine ? leur demande
l'aubergiste.

– Servez-nous plutôt de votre rôti d'oie. »
En dessert, maître Mardockam se commande
des gaufres et les enfants des tartelettes à la
crème. Le tout accompagné d'un petit vin léger
de framboises.

Le maître paye pendant que les enfants sortent.
À peine sont-ils dehors qu'un individu se
précipite. Il tient une lame longue et fine.
Blandin et Margot l'évitent chacun d'un rapide
mouvement de côté. L'individu va attaquer de
nouveau lorsqu'un rôtisseur qui voit le danger
s'empare d'une broche et tue l'agresseur.

La cicatrice

« Je le reconnais, s'écrie Margot. C'est le complice qui gardait le cheval du meurtrier.

– Il est mort maintenant. Il ne parlera plus.

– Mais vois, Blandin, cette bague. Ne t'évoque-t-elle rien ?

– Bien sûr ! La même bague que l'assassin.

– Une pierre étonnante avec une licorne à double corne. Voilà qui est étrange… »

C'est le vieux maître qui vient de parler. Il se penche sur le corps qu'il examine. Il garde en main la bague mystérieuse.

Il se relève, troublé tout à coup :

« Vous n'avez rien au moins ? s'inquiète-t-il. Blandin, je vois du sang sur ton bras.

– Ce n'est rien.

– Ta, ta, ta… ! Nous allons montrer cette coupure à un médecin. Pas de ces charlatans qui font des saignées à tout bout de champ. Non, un vrai docteur. J'en connais un qui exerce à l'Hôtel-Dieu. »

Ils se rendent dans cet immense hôpital qui enjambe la Seine. Le médecin les reçoit aussitôt.

« Une simple pommade à base de plantes, un bon pansement et il n'y aura bientôt plus qu'une jolie cicatrice. Comment est-ce arrivé ? demande le médecin.

une licorne : animal fabuleux à corps de cheval et qui porte une longue corne sur le front

un charlatan : un mauvais médecin

une saignée : une incision servant à extraire une certaine quantité de sang

– Les enfants ont été attaqués par un tueur qui cherche à les supprimer, répond Mardockam.

– Qui est donc ce tueur ?

– Hélas, nous n'en savons rien. Notre seul indice est cette bague… »

Le médecin semble perplexe.

« J'ai soigné il y a environ deux semaines un seigneur qui portait un bijou identique. Un de ses serviteurs est venu me chercher. Dans une litière fermée, il m'a conduit par tout un dédale de rues, de vrais coupe-gorge. Nous sommes arrivés je ne sais comment à une riche demeure située au pied des murailles de la ville. Je ne pourrais la retrouver, mais elle se situe près du nouveau palais de Philippe. J'ai remarqué qu'à la porte, il y avait un lourd marteau de bronze en tête de licorne.

– Tes indications nous seront précieuses. Nous repartons aussitôt vers le Louvre. »

une litière :
un véhicule à deux brancards dans lequel on voyage couché

un dédale :
un entrelacement

un coupe-gorge :
un lieu très dangereux où l'on risque de se faire attaquer

un marteau :
le heurtoir d'une porte

La licorne à deux cornes

Ils empruntent d'abord vers le nord la rue qui mène à Saint-Denis, elle aussi nouvellement pavée. Ils longent le mur que le roi vient de faire élever autour du cimetière des Saints-Innocents pour éviter que les gamins n'aillent jouer sur les tombes.

Ils arrivent au nouveau grand marché couvert où l'on trouve de tout : des peaux, des draps, des gants, des arcs et des boucliers, des clous, des pelles et bien sûr tous les aliments, viandes, poissons, légumes, œufs et fromages. Philippe Auguste en a fait daller le sol de carreaux de terre cuite. On lui donne donc désormais le nom de « carreau » des Halles.

Blandin, Margot et Mardockam se perdent un peu dans les rues de la Chanvrerie, de la Tonnellerie, de la Charronnerie. Ils débouchent sur le pilori où l'on vient de trancher les oreilles d'un voleur, coupeur de bourses. La foule est là qui applaudit. Un commerçant qui a vendu de la marchandise de mauvaise qualité est exposé depuis deux heures, la tête et les mains enfermées dans des planches de bois. On lui jette des fruits pourris.

un pilori : un poteau où sont attachées les personnes condamnées, pour être vues de tous

Les trois amis s'engagent maintenant dans la route vers l'ouest. Elle est bordée de belles maisons neuves, certaines entourées de vergers. Ils arrivent à la grande porte fortifiée de la nouvelle enceinte.

« Et voici la muraille que notre roi a décidé de faire construire pour protéger tout Paris. Elle n'est pas encore terminée, surtout du côté sud. Mais voyez son chemin de ronde, ses créneaux, ses tours. Et regardez cette monumentale porte fortifiée qui donne sur la campagne à l'extérieur. Si les Vikings revenaient, ils trouveraient à qui parler ! »

Mais Blandin et Margot n'écoutent plus leur maître. Ils ont vu un cavalier entrer dans une puissante demeure bâtie en pierre de taille. Ce profil, cette façon de chevaucher…

« Et si c'était notre homme ? »

Ils entraînent Mardockam vers la demeure. La porte s'est refermée. Sous le judas, un heurtoir en forme de licorne à deux cornes !

« Ne restons pas ici ; nous nous ferions remarquer. Tâchons de savoir qui habite ici. »

Ils aperçoivent un tuilier qui s'active près de son four.

« Thomas le Tacheur, pour vous servir.

– Bonjour. Connaissez-vous les habitants du quartier ?

les Vikings :
Nom des peuples de l'Europe du Nord qui pillèrent la France aux IXe et Xe siècles en remontant les fleuves sur leurs drakkars

un judas :
une petite ouverture pratiquée dans une porte pour voir à l'extérieur

un tuilier :
un fabriquant de tuiles

– La plupart, oui. Là-bas, c'est Pierre Bonneuil, un marchand de planches à tonneaux. Dans cette haute maison à trois étages, vit le riche Julien Bonnefille, maître des bouchers de Paris. Là est un lieu d'accueil pour les aveugles. De l'autre côté du nouveau rempart, il y a un forgeron, un savetier, des charrons, et un établissement qui reçoit les lépreux.

– Mais ce manoir, là ? demande Margot qui désigne la demeure à la licorne.

– Il vient d'être édifié. J'y ai livré des tuiles et j'en ai profité pour discuter avec un serviteur. Le propriétaire serait un nommé Guy de Grisbourne, ou quelque chose comme ça. Un Anglais, qui parle bien sûr français comme tous les seigneurs anglais. J'aurais aimé en savoir plus mais un secrétaire de ce seigneur m'a chassé.

– Merci, mon ami. Venez les enfants. Nous allons au Louvre rencontrer le fameux frère Guérin. »

un maître :
Au Moyen Âge, les différents métiers étaient organisés en corporations, chacune dirigée par un maître

un charron :
un artisan qui fabrique des éléments de charrettes

un manoir :
un petit château

Au Louvre

Ils se dirigent par la rue du Champ fleuri vers la haute tour ronde qui s'élève dans le ciel. C'est le donjon du Louvre. Il est au cœur d'une énorme forteresse. Le roi y garde quelques prisonniers importants. Mardockam, Blandin et Margot se présentent au gardien de l'une des deux entrées.

« Nous voulons parler à frère Guérin.

— Il est très occupé. Je serais étonné qu'il vous reçoive. »

Le portier appelle cependant un garde qui les conduit à travers la cour jusqu'au pont-levis du donjon. Sous la conduite d'un autre garde, ils franchissent le fossé. Ils entrent dans une salle immense, aux murs couverts de tapisseries, au sol de pierre recouvert de fleurs. Au fond, des hommes discutent, assis sur des bancs de pierre à l'intérieur d'une vaste cheminée.

Une porte dissimulée dans le mur de gauche s'ouvre. Un clerc salue les visiteurs, se fait remettre la lettre du père abbé et disparaît.

Quelques minutes plus tard, il fait signe aux visiteurs de le suivre. Sans un mot, ils montent un escalier en colimaçon creusé à l'intérieur de la muraille. Ils arrivent dans une jolie pièce ornée de coffres et d'une bibliothèque.

un donjon :
la plus haute tour d'un château qui servait de dernier refuge en cas d'attaque. Elle symbolise le pouvoir.

un clerc :
un religieux

en colimaçon :
qui monte en spirale

Un homme est assis derrière un grand bureau de bois sculpté. Il porte un habit religieux. Il ne lève pas les yeux, plongé dans sa réflexion.

« Ainsi donc, songe Mardockam, voici l'un des personnages les plus importants du royaume ! Il a à peine plus de quarante ans et il est déjà gardien du sceau royal. »

Guérin se lève. Il n'a rien de l'apparence d'un homme d'Église. Plutôt le visage et la carrure d'un seigneur guerrier.

un sceau : un cachet officiel qui authentifie les actes royaux

« Vous m'êtes recommandés par mon vieil ami l'abbé de Saint-Jean. Il m'a fait part de ce qui s'est passé ce matin dans l'école. Que puis-je pour vous aider ? »

Mardockam prend la parole :

« Nous avons suivi la trace de l'assassin jusqu'à la demeure d'un nommé Guy de Grisbourne… »

Frère Guérin l'interrompt :

« Ne serait-ce pas plutôt Guy de Gisbourne ? Je fais surveiller cet Anglais depuis deux ans qu'il est en France. Mais je n'ai jamais pu réunir contre lui la moindre preuve d'une activité d'espionnage au profit du roi Jean d'Angleterre, frère du défunt roi Richard.

– Les enfants l'ont reconnu et il y a cette histoire de licorne.

– Je vais ordonner aussitôt de boucler cette maison forte. Suivez-moi. »

Frère Guérin fait rassembler une vingtaine d'hommes d'armes. Accompagné de nos amis, il prend la tête des opérations. Le manoir de Gisbourne est rapidement encerclé. Un serviteur vient ouvrir. Il est écarté sans ménagement et la troupe se précipite à l'intérieur.

sans ménagement : brutalement

« Quelle est cette intrusion ? tonne du haut de l'escalier un personnage grand et mince, vêtu de fourrrure.

– C'est lui, je le reconnais, s'écrie Blandin.

– C'est bien lui, confirme Margot.

– Guy de Gisbourne, au nom du roi, je vous arrête pour meurtres. »

Mais avant que les soldats aient le temps de l'appréhender, Gisbourne se précipite dans son bureau où il s'enferme. Les hommes s'emparent d'un banc dont ils font un bélier pour défoncer la porte.

appréhender : arrêter

Trop tard ! Guy achève de brûler un parchemin dans une cheminée. Sur la table, repose le précieux manuscrit de la Quête du Graal. Mardockam l'ouvre, inspecte la couverture et constate qu'il n'y a plus rien dessous.

Le parchemin a disparu.

Gisbourne ricane :

« Cette feuille qui devait assurer le pouvoir du roi d'Angleterre sur le royaume de France, je l'ai brûlée. Personne désormais n'en disposera. Surtout pas le roi de France. »

— Emmenez-le dans un cachot du Louvre » ordonne Guérin. Nous le ferons bien parler sous la question.

Blandin se frappe le front :

« J'ai compris.

— Et qu'as-tu compris, jeune homme ? s'enquiert le frère Guérin.

— La licorne à deux cornes ! La corne symbolise la puissance et les deux cornes marquent la volonté des rois Plantagenêts d'exercer leur puissance sur les deux royaumes d'Angleterre et de France.

— Tu as raison. Que dirais-tu de finir tes études avec moi, à la cour du roi Philippe ?

— Je préfère mon école de la place Maubert et la compagnie de ma belle Margot.

— Non seulement tu es intelligent, mais tu es déjà sage. Bon vent donc à vous, jeunes gens, et que Dieu vous garde ! »

Et il ajoute à l'oreille de maître Mardockam : « Ce secret pour dominer les hommes, il vaut mieux que nul ne le connaisse jamais... »

la question :
la torture

rois Plantagenêts :
nom de la dynastie anglaise qui régna sur l'Angleterre de 1154 à 1485

Si tu as aimé Philippe Auguste, tu aimeras aussi :
Les châteaux-forts
d'**Alain Dag'Naud**
Éditions Jean-Paul Gisserot

Illustrations :
Anne-Françoise Couloumy

Si tu as aimé La quête du Graal, tu aimeras aussi :
Le chevalier de Jérusalem
d'**Odile Weulersse**
Le Livre de Poche Jeunesse n° 964

Illustration de couverture :
François Baranger

Si tu as aimé Robin des Bois, tu aimeras aussi :
Ivanhoé
de **Walter Scott**
Le Livre de Poche Jeunesse n° 1120

Illustration de couverture :
Pierre-Marie Valat

Si tu as aimé Paris au Moyen Âge, tu aimeras aussi :
La ville au Moyen Âge
d'**Alain Dag'Naud**
Éditions Jean-Paul Gisserot

Illustrations :
Anne-Françoise Couloumy

Imprimé en Italie par Rotolito
Dépôt légal: 65389-02/2005 - Collection n° 73 - Edition n° 01
11/7326/9